너는 언제부터 나의 소망이 되었나 1

너는 언제부터 나의 소망이 되었나

발　행 | 2023년 12월 14일
저　자 | 박항근과 용봉 시인들
펴낸이 | 한건희
펴낸곳 | 주식회사 부크크
출판사등록 | 2014.07.15.(제2014-16호)
주　소 | 서울특별시 금천구 가산디지털1로 119 SK트윈타워 A동 305호
전　화 | 1670-8316
이메일 | info@bookk.co.kr

ISBN | 9979-11-410-5985-9

www.bookk.co.kr

박항근과 용봉 시인들 지음

차 례

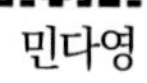

박지온

박하연

한효은

하빈

이정원

장하얀

임채윤

이영우

김준표

신하율

김준표

이초언 문지연 김승준 김소명

김시윤

남연지

이민주

윤혜원

학생들의 네이버 웹툰 연재

겨울방

박항근

문을 열고 겨울방에 들어가자.
천장에서 내려오는 무거운 냉기가
바닥에 떨어지듯 방안 가득 퍼져
온기가 살포시 하늘 위로 올라간다.

불을 밝히면 차가움이 더 선명해 진다.
호호 불던 입김을 엉겨 붙여
조금 딱딱한 호떡을 만들어
오늘 밤의 배고픔을 채운다.

이불 속 들어간 내 몸이 따뜻해 진다.
이불로 온기를 덮었더니 냉기가 포근포근.

이불을 데웠더니 이제 졸리는 기분이다.
한껏 부풀어 오른 발효된 팥빵처럼
포근한 잠이 내 몸을 덮어 온다.

밤새 뒤척이며 분 바람으로
이불이 날아가면
아침이 온다.

급식

박지인

너를 만나기 위해
힘든 시간을 버틴다

너를 만날 수 있다는 생각으로
힘든 시간을 버틴다

너를 만날 수 없다면
내 눈은 동태눈이 될 것이고
내 몸은 죽은 낙지처럼 축 처질것이다

너는 힘든 시간을 버틸 수 있게 해준
내 처음이자 마지막 이유이다

그림 이민아

김밥

이한솔

검은 카펫에 하얀 매트리스 위에
땀을 잔뜩 흘려 노란색이된 단무지
상처를 받아 많이 화가난 당근

딱딱한 동굴에서 간신히 빠져나온 맛살
넓은 땅에서 신선하게 캐져 시원하게
샤워를한 시금치

힘든 일상을 마쳐 어지럽고 열이난 달걀
힘들어서 빨개진 햄

검은 카펫과 하얀 매트리스는
지친 친구들을 감싸준다
그리고 하나가 되어
나의피로까지 풀어준다

그림 임시은

민들레

이영우

학교에
학원에
오늘도 반복되는 하루

뭐 재밌는 거 없을까

지친 몸을 걸레처럼 질질 끌고
어둠이 내려앉은 골목을
그림자처럼
스르르 미끄러져 내려갈 때

눈에 들어온 무언가

건물 귀퉁이에
하얀 점처럼
박혀있는
너

분명히 어제는 노란색이었는데
어느덧 하얀 털옷을 입고
새로운 세상을 꿈꾸며
날아갈 준비를 하는 너

작아 보이기만 했던 네가
한없이 부러워지는
5월의 어느 평범한 날에

그림 박지온

- 광고문학상 동상 수상작 -

폭포

김준표

울창한 나무에 달린 나뭇잎이
부딪히는 소리가 들린다.
산에 도착했나 보다.

울창한 산속에 있는 흙냄새가
코에 스며든다.
산에 발을 디뎠나 보다.

피부를 간지럽히는 나무의
시원한 숨 바람.
산이 환영하다 보다.

울창한 나무에 앉은 새들이
지저귀는 소리가 들린다.
산에 올랐나 보다.

울창한 나무를 타고 있는
벌레들의 울음소리가 들린다.
산에서 쉬고 있나 보다.

울창한 산속에 시원한
물줄기 소리가 들린다.
산에 거의 다 도착했나 보다.

울창한 산속을 집어삼키듯
거센 폭포 소리가 들린다.
산에 도착했나 보다.

그림 박지온

그림 박지온

비오는 날

나해연

비가 오는 날은 왠지 모르게 하루 종일 기분이 좋다.
왜일까?

아마도 비가 오는 날은

빗소리를 들을 수 있고,
가뭄에 지친 농부들의 마음이 조금 더 나아질 거라는
것을 알고,
마치 워터파크에 놀러온 것처럼 온 세상에 물이 가득하고,
사람들의 오색빛깔 우산 구경을 하는 게 재미있고,
장화를 신고 물웅덩이를 당당하게 밟고 지나갈 수 있고,
우산을 실수로 가져오지 못해 비를 피하고 있던 사람을
도울 수 있기 때문이 아닐까?

비가 오면

비에 닿아 잎사귀에 맺힌 이슬,
빗방울이 바닥에 떨어지는 모습,
실수로 만들어진 도로의 패인 곳에 생긴 물웅덩이의 찰랑임,
구름이 껴 오묘한 회색빛이 도는 하늘이,
세상 모든 게 전부 아름다워 보이기 때문이 아닐까

가을, 네가 참 좋다

전유림

나를 간지럽히는 산들 바람
구름 하나 없이 맑고 푸른 하늘
그리고 따스한 햇살
목빠지게 기다리던 가을,
드디어 네가 나에게로 왔구나

알록달록 단풍으로 물든 가을 오후
길가에 떨어진 낙엽들은 춤을 춘다
바람에 흔들리는 나뭇잎 소리가
나의 귓가를 간지럽히며
마음 한 켠 따뜻함으로 가득 채운다

이따금 찾아와버린 차갑게 부는 바람
길가에 수북이 쌓인 단풍잎들
그리고 빼빼 말라버린 나뭇가지

이마저도 나는 네가 참 좋다

미래의 행복

김예건

어렸을 적부터 항상 들어왔던 말, 커서 뭐가 될래?
어렸을 땐 아무 의미없이 나의 꿈을 말했다
하지만 나이가 들수록 내가 할 수 있을까?

어느날 내가 체육시간에 잘해서 선생님이 칭찬하셨다
그걸 아빠에게 말했더니 아빠가 하는 말
"아무리 잘해도 선수는 못하니까 취미로만 해"
그때는 서운했지만 지금은 어느 정도 이해가 간다
부모님의 충고...
진로 선생님은 말하신다
"좋아하는 것과 잘하는 것은 다른거야
좋아하는 것을 꿈으로 가져야 행복해진단다"
하지만 부모님들은 말하신다
"잘하는 것을 해야 돈을 벌어 행복해진다"
이럴 때마다 더욱 궁금해진다 행복이란 무엇일까?
중학생이 된 나는 지금...

은정이네 꽃밭

새우튀김

나해연

노릇노릇한 기름에 튀기는
새우튀김

새우튀김을 베어 물면
새우튀김은 바삭바삭

겨울에 머리카락을 덜 말리고 나오면
내 머리카락도 바삭바삭

노릇노릇하게 물든 단풍잎을 밟으면
단풍잎도 바삭바삭

그럴 때 생각한다
새우튀김 먹고 싶다

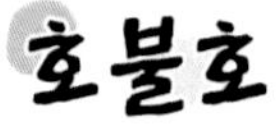

호불호

김예건

민트초코를 치약 얼린 맛이라고 욕하지마라
민트초코가 치약 맛인게 아니라
치약이 민트초코 맛인거다

파인애플 피자를 역겨운 맛이라고 욕하지마라
한입 베어물면 달콤한 과육과 고소한 치즈가
내 입안에 맴도는 느낌을 아느냐

진미채 인줄알고 씹었는데
도라지 무침이라고실망하지마라
새콤매콤 아삭아삭
식감 좋고 건강에도 좋다

하늘

박지온

어렸을 때 하늘 위를 바라보며 잠시 이런 생각을 한 적이 있다.
하늘 위에는 무엇이 있을까?

거대한 괴물이 있을까?
잭과 콩나무에서 나온 황금알을 낳는 거위가 있을까?
아니면 푹신푹신한 구름 침대가 있진 않을까?

혼자 하늘 위로 올라가 괴물과 싸우고,
거위를 약탈하여 추격전을 펼치며
모든 것이 끝난 뒤에는 푹신푹신한 침대에서 잠을 자는
그런 상상을 하며 가끔 혼자만의 망상을 했던 적이 있다.

어릴 때는 그런 상상들을 쉽게 했었는데

요즘은 하늘 위를 바라보면
학교 숙제는 언제 할까?
진로는 뭘 하지?
앞으로 나는 어떻게 살아가야 잘 먹고 살 수 있지?

상상은커녕 앞으로의 미래만 생각만 떠올린다.
그럴 때마다 나는 내 고민을 애써 무시하고,
아무 생각 없이 하늘을 보는 방법밖에 없다.

아무 생각 없이 하늘을 올려다보면
어린 시절 아무 걱정 없었던, 의미 없는 상상을 하는
그런 시절을 너무 그리워하며

오늘도 어릴 때처럼 하늘을 바라본다.

긴장

박지온

긴장하는 일이 없었으면 좋겠다.
평생 편하게 살고 싶다.

라는 생각을 나는 하루 종일 한다.
주로 어떤 때에 하냐면은

학교로 가는 버스를 놓칠 것 같아
늘 조마조마하며 긴장을 하고,
수학 발표 시간 때 내가 걸릴 것 같아
땀을 뻘뻘 흘리며 긴장을 하고,
부모님에게 혼날 때
삭막한 분위기 때문에 눈칫밥을 먹으며…

등등 그 외에 더 많은 긴장을 한다.
긴장을 할 때마다
내가…

긴장을 안 했으면 좋겠다.

비오는 날

나해연

비가 오는 날은 왠지 모르게 하루 종일 기분이 좋다.
왜일까?

아마도 비가 오는 날은

빗소리를 들을 수 있고,
가뭄에 지친 농부들의 마음이
조금 더 나아질 거라는 것을 알고,
마치 워터파크에 놀러온 것처럼
온 세상에 물이 가득하고,
사람들의 오색빛깔 우산 구경을 하는 게 재미있고,
장화를 신고 물웅덩이를
당당하게 밟고 지나갈 수 있고,
우산을 실수로 가져오지 못해
비를 피하고 있던 사람을
도울 수 있기 때문이 아닐까?

비가 오면
비에 닿아 잎사귀에 맺힌 이슬,
빗방울이 바닥에 떨어지는 모습,
실수로 만들어진 도로의 패인 곳에
생긴 물웅덩이의 찰랑임,
구름이 껴 오묘한 회색빛이 도는 하늘이,
세상 모든 게 전부 아름다워 보이기 때문이 아닐까.

좀먹는 관계

민다영

친구 셋이 있다

피부가 하얀 아이는
"화장도 이상하고 피부도 너무 탄 것 같아"
비율이 좋은 아이는
"피부도 타버렸고 비율도 완전 이상해"
화장을 잘하는 아이는
" 비율도 별로고 오늘 화장도 너무 이상해 "

그러고나서

다들 똑같이 칭찬해주고
똑같이 생각한다
'내가 너보단 괜찮지'
서로를 올려주고 서로를 깎아 내린다

서로를 좀먹는 관계

죽음

이자무

죽음...
언젠가 다가올 고난

내일 올 수도 있고,
지금 올 수도 있다.

죽음이란 뭘까?

심장이 뛰지 않는 걸까?
뇌가 멈춘 걸까?

언제 올지 모르는 죽음
두려워하지 말고 지금 이 순간에
최선을 다해 살자

울타리

류한나

부모님도 나의 울타리
가족도 나의 울타리
학교도 나의 울타리
친구들도 나의 울타리
선생님들도 나의 울타리

나를
도와주는 사람도
웃게 해주는 사람도
가르쳐주는 사람도
모두 울타리

나의 주변 사람들은 나의 울타리가 된다

그렇다.
우리는 다 울타리 안에 같이 있다.

살려주세요

박하연

나는 입시생이다.

매일은 아니지만 일주일에 3번 미술학원에 간다.
영수는 매일 간다. 그래야 성적이 유지되기 때문이다.
우리나라는 왜 특성화고도 성적을 보는지 모르겠다.
공부하랴 입시하랴 힘들어 죽겠다.

근데 이놈의 학교들은 특성화고고 뭐고 항상 성적을 본다.
제발 성적은 그만 했으면
학원에서 복습을 하는데 점점 놀시간이 줄어들어간다.
놀고 싶은데 학원 숙제가 있고, 그림을 그려야 된다.

성적을 신경쓰고 입시도 신경써야 한다.
2개를 다 신경쓰려다 보니 내가 좋아하는 것을 버리기 시작했다.
성적을 신경쓰다가 잠을 포기했고,
입시를 신경쓰다가 여가 시간을 포기했다.
잠을 포기하니 학교에서 수업 시간에 자기 시작했다.
놀시간을 포기하니 점점 게을러지기 시작했다.

왜 우리는 많은 것을 포기 해야 하는지 모르겠다.
포기가 필요하긴 하나 많은 것을 포기할 필요는 없다고 생각하는데,
나도 편하고 싶고 다른 애들처럼 여유롭고 싶다.

제발 여유롭고 자유롭게 있고 싶다.
제발 이 갑갑한 생활을 그만 하고 싶다.
그만 답답하면 좋겠다.

이 따분하고 지루한 생활에서 꺼내주면 좋겠다.
그러니 나라에게 말한다.
살려주세요. 제발.

지렁이

노승원

비오는날 밖에서 우산을 쓰고 걸어다니다 보면
보이는 지렁이

지렁이는 왜 비오는날에 유독 잘보일까?
인터넷에 찾아봤다.
지렁이가 비오는 날 많이 보이는 이유는 숨을 쉬기 위해서

그래서 그런가 보다 하고 넘기는데
다음날 비가 그치고 햇빛이 나오면
지렁이들은 말라서 죽어있다.

지렁이는 살기 위해,
숨을 쉬려고 비오는 날 흙 밖에 나오지만
살기 위해 나온 것 때문에 목숨을 잃는다.

지렁이 시체 위에 파리나 개미가 붙은 것을 보면
살아있을 때도 땅에 양분을 주는 선행을 하고
죽어서까지 파리와 개미를 위해 희생하는 것을 보면

지렁이의 인생은
나보다 훨씬 가치 있었을지도 모른다는 생각이 든다.

키

이자무

나의 키
비록 평균보다 10cm 부족하지만
소중한 나의 키

남들은 나를 내려다보지만
소중한 나의 키

언제나 남들을 고개 들어 쳐다보았지만
두고 보아라 언젠가는 내가 내려다볼 것이다…

언젠간…

컵라면

박지온

고요한 새벽 밤
삐리릭 현관문이 열리고
아버지가 들어오신다.

배가 고프신건지 배에서는
꼬르르륵 소리가 들린다.

냉장고를 열어봐도
안은 텅텅 비어있다.

어쩔 수 없이 오늘도 컵라면으로
끼니를 때우신다.

후레이크와 분말스프를
탁탁 뿌리고
뜨거운 물을
쪼르르르 부우신다.

1분, 2분, 3분...
4분이 지나갔다.
이제 라면을 푹 떠서
먹을 차례이다.

젓가락으로 푸욱 떠서
먹으려는 순간

딸아이가 방문을 벌컥

열고 거실로 나왔다.

물을 마시러 온 건지…
라면 냄새를 맡은 건지…
부스럭 소리를 들은 건지…

도통 모르겠다.

딸아이는 아버지에게 다가와
한 입만 달라고 한다.

분명 지금 배고플 텐데…
주기 싫어하실 것 같은데…

라고 생각하는 딸아이의 생각과
다르게

아버지는 주저 없이 크게
한술 떠서 딸아이에게
한 입을 준다.

팝콘

민다영

시끄러운 영화관에서
톡톡 팝콘 튀기는걸 보고 있으면
와글와글 시끄러운 주변이
조용해지는 것 같다

아무 생각도 안하고
팝콘 소리만 듣고 있으면
뇌가 텅 빈 느낌이 좋다

이것이 내가 팝콘을 좋아하는 이유다

사진

한효은

여기에서, 저기에서 어디에서든
찰칵! 찰칵!
어딜가든 사진찍는 소리가 들린다,

사진 찍을 땐 이걸 왜 찍냐며
투덜대지만
지나고보면 모두 추억이다.

기억은 언젠가 잊게되지만
사진은
잃어버리지만 않으면 평생 남는
하나뿐인 추억

찍었던 사진을 보며
내가 어딜 갔는지
내가 누구와 함께했는지

이 모든 건 나에게
하나뿐인 추억으로 남는다.

밥상

이정원

깜깜한 밤을 담은 상자에
도깨비 불이 켜지면
도깨비 불에 홀려
목은 삐죽
손은 삐딱
눈은 땡글
아무도 입을 열지 않고
아무도 말을 듣지 않네

스마트폰을 켜면
동영상, 게임의 유혹에 홀려
목은 삐죽
손은 삐딱
눈은 땡글
아무도 입을 열지 않고
아무도 말을 듣지 않네

이때 마법의 주문 외는 마법사
'밥먹어라' 하면
도깨비 불이 탁 꺼지고
모두 모여 앉아
목은 꼿꼿이 세우고
손은 마법지팡이 잡고
눈은 쏙 들어가
모두 입을 열고
모두 서로를 보네

오늘은 뭐했니?
기분은 어떠니?

밥상에선 잠시 멈추고
함께 이야기 나누자

바다

하빈

바다는 추억이다.
해변가를 손잡고 걸어다니는 저 커플도,
바다에서 수영을 하고있는 아이들도,
사람들이 던진 새우깡을 주워먹는 갈매기도
별일 아닌 것 처럼 여기지만
시간이 흐르고나면 모든 것이 추억이다.
행복하게 웃으며 갓 뜬 회를 먹는 저 사람들도
바다 앞에서 사진을 찍는 사람들도
이 순간에는 행복해 보인다.

나는 파라솔 아래 앉아서
사람들의 추억을 구경하는 중이다.
어렴풋이 내 추억을 떠올려봤다.
가족과 해변가를 걸었을 때?
아니면 수영하다 물먹었을 때?
모두 다 추억이지만
내 추억은 파라솔 아래에서
나의 모든 추억을 떠올리고 있는 지금 이 순간이다.

고양이

최서하

길고양이
학교가 끝나고 하교하는 길
길가에서 길고양이를 보았다

눈감고 누워있는 고양이
앉아있는 고양이
가끔 보다보면 귀여워서 나도 모르게 웃고있다

사진도 찍고 먹을 것도 주면서 사랑스럽게 쳐다본다
가끔 아파보이는 고양이를 보면
안타깝지만 길고양이들을 보면 다 챙겨주고싶다

색칠 놀이

이초언

흰 스케치북에 여러 가지 색상들이 어울려서
아름다운 조화가 이루어졌다.
여긴 파란색, 저긴 빨간색
점점 칠해가며 완성에 닿아간다.

완성에 가까워졌을 때쯤 검은색을 칠하려다가
실수로 칠한 부분이 삐져나왔다.
하지만 삐져나온 부분은 그림에 풍부함을 더해주었다.

뭐든 처음인 나에게
이것저것 여러 가지 경험을 칠해가며 점점 성장한다.
경험을 쌓는 동안 실수를 하지만
그 실수가 미래에 더 빛나는 '나'를 만든다.

썸

장하얀

서로 좋아하는 감정을 알다모르게
표현하는 시기가
바로 썸이다

서로 좋아하는 것을 알고
연애로 넘어갈락 말락
설레게되는 그런 시기가
바로 썸이다

연애로 넘어가게 된다면
그때의 감정을 느끼지는 못한다

그래도
더 좋은 관계로 발전하게 해주는 것이
썸 이라는 것이다

팝콘

하빈

팝!팝! 터지는 불꽃놀이처럼
팝!팝! 터지는 풍선처럼

팝! 팝!
작은 알갱이인 줄만 알았던 옥수수가
예쁜 옷을 입고 기분 좋아 사정없이 뛰어다닌다

콘!콘!
작은 알갱이인 줄만 알았던 옥수수가
꽃 피우듯 형태를 바꿔간다

꽃이 내려앉은 땅처럼
눈이 소복히 쌓인 땅처럼

팝콘들이 따스한 햇볕 아래서 새근새근 자고있다

방학

김혜미

있었나 싶다.
정말로 있었나 싶다.
방학 시작할 땐 온 세상이 아름다웠다.
분홍빛이었다.

그런데 벌써 개학이라니?
난 정말 하루밖에 안 쉰 기분인데?
정말 방학이 학년이 올라갈수록 짧아지는 기분이다.
개학 전날 심장이 쿵쾅거린다.

벚꽃

김준표

온몸이 시린 겨울이 지나갔다.
겨울이 지나고 얼어붙은 땅을
위로하기 위해 따스한 봄이 찾아왔다
얼어붙은 땅이 말랑말랑 땅으로 바뀌었다.

깡깡 얼어붙어 단단해진 땅에
못 피어올라온 벚꽃이 나들이를 나간다.
깡깡 얼어붙어 추워진 날씨에
밖으로 못나간 사람들이 나들이를 나간다.

나들이 나간 사람들은 벚꽃을 보고
한동안 얼어붙었던 마음이 녹아 내린다.
밖에 나갔던 모든 사람들은 벚꽃에 눈길이 간다.

따스했던 봄이 지나가고 화창한 여름이 찾아왔다.
따스한 봄에 인사를 건낸 벚꽃은
이제 집에 가려고 한다.

나들이를 갔던 사람들은 예쁜 나비들과
화창한 날씨에 눈길이 사로 잡힌다.

벚꽃나무에는 하나하나 벚꽃 잎이 떨어지며
집에 갈 준비를 한다.
하나 하나,
하나 하나

슬며시 땅에 스며들었다.

외로운 벚꽃은 집에 갔나 보다.

그 후 여름이 찾아오고
다시 깡깡 얼어붙었던 겨울이 찾아 온다.

벚꽃은 인생과도 비슷하다.
한때는 아름다웠고,
한때는 이뻤고,
한때는 눈길이 사로잡혔다.

그 후 쓸쓸히 인생을 마무리한다.

다시 온 몸에 시린 겨울이 찾아왔다.

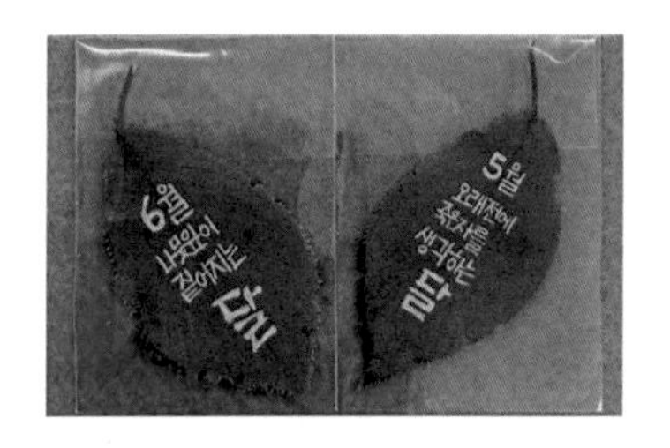

밤바다

박용준

어두운밤 너무 어둡다 갑자기 귀에서
바닷소리가 들리며 눈앞에 아름다운 풍경이 보인다

살랑살랑 거리는 바람 소리
숙욱숙욱 들리는 바닷소리
내 귓가에 들리는 힐링 소리

이 소리를 들어보니 인생 잘 살았다 느낀다.
바닷소리와 바람 소리를 듣고 걸어 다닌다.
내일도 들어야지~

강아지

김혜정

풀처럼 부드러운 강아지
구름처럼 포근한 강아지의 품
힘든 나를 충전해주는 나만의 배터리
가족들의 사랑을 받는 강아지
보면 볼수록 더 보고 싶은 강아지
언제나 함께 있으면 행복한 나의 친구
예쁘게 꾸며주고 싶은 강아지
언제나 나를 반겨주는 엄마 같은 강아지
나의 사랑을 독차지 하고 있는 강아지

강아지

김주빈

우리에게 행복을 주고
하루를 힐링하게 해주는 강아지
내가 힘들 때 나를 반겨주고
나를 위로하게 해주는 강아지
털도 보들보들하고 볼 때마다
웃음이 저절로 나오게 하는 강아지
어딜 가도 우리 집 강아지가 생각나고
집에 들어갈 때 반겨줄 수 있는
내 친구가 있다는 게 마냥 행복하다.
하얀 털이 생각나고 눈이 초롱초롱해서
내 친구 같은 강아지 강아지
정말 내 옆의 좋은 친구이다.

길가에 있는 꽃

신하율

엄마와 길을 걸으면서 여러 이야기를 하고 있었다.
엄마가 길가에 있는 꽃을 보시고는
"하율아 이 꽃 참 예쁘지? 향기도 좋아"

실제로 향기도 좋고 꽃도 참 예뻤다.
나는 이런 생각을 했다.
'나는 맨날 이 길을 걸으면서
왜 이렇게 예쁜 꽃을 보지 못했지?'

그 뒤로 나는 길을 걸으며
길가에 있는 꽃들을 자세히 보기 시작했다.
내가 걷고 있는 거리만 하더라도
꽃의 종류는 여러 가지였다.
사소한 곳에서도 조그만한 행복을
느낄 수 있다는 걸 알았다.

당연하다고 생각했던 것

손준희

평화로운 일상을 위해서
우리는 무슨 노력을 하고 있을지

당연하다고 생각하고 있던 것들이
사실은 다른 이의 노력의 결실이 아닐지

노력으로 이루어진 내 작은 움직임
누가 알아줄지는 몰라도
내 위치에서 최선을 다하면

모르지, 누군가는 도움을 받을지

비빔밥

송지훈

배고픈데 집에 맛있는 게 없을 때
냉장고에 맛없는 나물들 밖에 없을 때

아 어떻게 하지 뭘 먹어야하지?
아 맞다 비빔밥 만들어 먹어야지

양푼 비빔밥에 어제 먹다남은 고기
냉장고에 있는 나물들과 고추장
계란 후라이를 넣고 비비면
맛있는 비빔밥 완성!!

귤

신소윤

귤 껍질을 벗긴다
내 마음을 뒤덮고 있던
여러 감정들을 벗긴다

껍질을 벗기자 알맹이가 보인다
여러 감정들을 벗기자
내 마음속에 있던 새로운 감정이 보인다

새로운 감정은
바로
새로운 행복함이었다

쿠키

유원빈

쿠키를 만든다
반죽을 한다
모양을 만든다
그리고 오븐에 굽는다

띵 - 하는 소리를 듣고
오븐으로 달려간다
기쁜 마음으로 포장을 하고
살포시 가방에 넣어 등교를 한다

카레

박준영

카레는 맛있다.
카레는 자기 취향것 재료를 넣는다.
카레는 매콤한 맛이 은근중독성이 있다.
카레는 다양한 카레음식이 있다
카레우동 카레라면 등등..
카레는 언제먹어도 맛있다

대가

정다은

아무 것도
하기 싫다.

숙제도 공부도
하기 싫다.

무슨 의미가 있지도
모르겠다.

그러니 지금 안해도
상관 없다.

시작도 하지 않았다
할 일을 미루었다
난 후회 했다.

그때 그 의미를 알려고
노력 했다면

미루지 않았다면..
시작이라도 했다면..
집중하려고 노력했다면..

생각 하지만..
바뀌는 것은 없다.
미룬 일엔 대가를 치러야 한다.
나는 지금 대가를 치르고 있다

눈

임하린

눈이 내린다, 가늘게 흩어져
하늘에서 소리없이 떨어진다.
흔들리며 떨어져 땅과 부딪히고,
작은 조각들이 모여 하수구로 빠진다.

눈은 어둠을 씻어내고
흙에 생명을 불어넣는다.

우리는 그 속에서 순진한 아이처럼
신기함과 기쁨을 즐긴다.
눈이 내리는 날,
우리는 아직도 한없이 부족한 아이가 된다.

아기 고양이

유현선

언젠가 갑자기 우리집에 온 아기 고양이
몸은 매우 작으며 털은 마치 병아리의 털처럼
뽀송뽀송하며 울음소리는 너무 작은 아기 고양이
나는 너무 신기하여 계속 보는 중
아빠와 같이 병원으로 갔고

의사가 말하는 불안한 말
"저 아기 고양이 병에 걸렸어요"
병에 걸리고 또 그 병을 치료하기가 어렵다는 말…

집으로 온 나와 아빠
이제 온지 얼마 안돼서 이별의 시간이 온 것이다.
그렇게 일주일 동안 편안하게 해주는 우리 가족

다음날 나는 일어나서 고양이를 보러 갔지만
없어진 고양이
형이 하는 말은 부모님과 같이 어디로 갔다고 한다.
아무것도 모르는 나는 여행 갔다온 줄 알았지만
엄마와 아빠가 올 때는 고양이는 없었고…
할아버지 묘 근처에 묻어서 갔다는 말로
나는 펑펑 울었고

고양이를 계속 생각하는 나

5달정도 지날 때
우리집 거실에 들리는 익숙한 소리
아기 고양이의 울음 소리

어떻게 견뎠어?

이나경

요새 친구들은 다 놀려고 하면 학원에 간다고 한다
우린 2학년인데
벌써 수학을 3학년 2학기를 하는 애도 있고
고등학교 것을 하는 애도 있다

나는 아직 2학년 2학기 것을 하고 있는데도 힘든데
애들은 너무 대단한 것 같다

그 힘든 것을 어떻게 견뎠니?

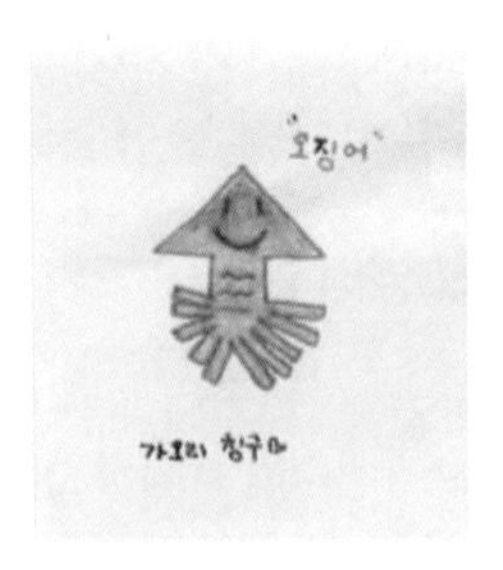

이상한 할머니들

이한솔

나는 어릴 때 목욕탕에 갔다
거기 할머니들이 온탕에 앉아 있었다
"나도 들어가 볼까?"
발을 담그는 순간
할머니가 "아 시원하다!" 라고 말했다
"으잉? 시원하다고?"
나는 할머니가 이상해 보였다
정말 이해가 되지 않았다

그래서 물어 보았다. "할머니 왜 이게 시원해요?"
할머니는 "그냥 시원해" 라고 말했다.
어느날 다시 온탕에 들어가니 그 시원함이 이해가 갔다.
온몸이 풀리는 시원한 느낌
이상한 할머니들이 느끼는 그 시원함이었다.

겨울

전은태

겨울 눈은 마치 빙수 같다.
겨울에는 사람도 만들 수 있다.
눈을 먹으면 시원하다.
눈으로 여러 가지를 만들 수 있다.
눈은 음식이 되고, 물건이 될 수 있다.

새콤달콤

박시후

아침에 1000원을 들고 편의점에 가면
새콤달콤 마이쮸 2개를 살 수 있다.

근데 아저씨가
“행사하고 있어서 하나 더 가지고 오세요”
나는 속마음으로 ‘오? 개꿀’ 이라고 생각한다.

학교를 도착하고
새콤달콤을 꺼내는 순간 애들이 달려온다.
여기저기에서 “야 나도줘” 라고 한다.
“싫어” 라고 하기엔 미안하다
그러면 나는 정작 2개 밖에 못먹는다.

그래도 맛있었다.

달

김윤수

달을 보려면 Moon을 열고 봐야 한다.
나처럼 빛나고
이쁜 달
15일마다 바뀌는 데
나처럼 계속 이쁜 달
오늘도 봐야징

사랑

김선우

정말 단순한 글자지만 꺼내기 어려운 글자
사랑

정말 좋은 글자지만 꺼내기 어려운 글자
사랑

단순하고 좋은 글자인데 왜 꺼내지 못하는 걸까?
사랑

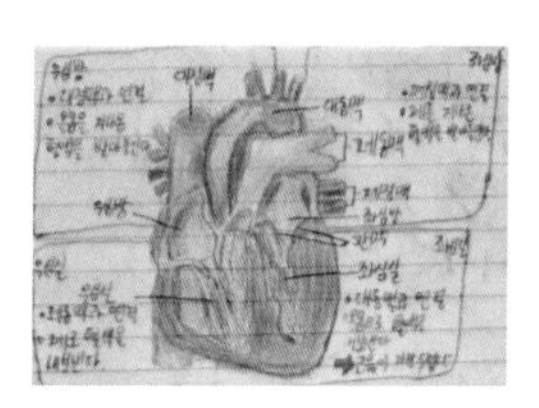

너

김서경

세상에,
수 많은 단어들이
나무에 주렁주렁

예쁜 말들은 넘쳐나지만

너 한글자 입에 넣고 굴려본다

나는 강아지다

김준표

할머니에겐 우리 똥강아지
엄마에겐 내 새끼
친구들에겐 그냥 개xx

나는
사람일까 동물일까

삼겹살

문지연

예쁜 분홍빛에 윤기 좌르르
냉장고 안에서 가장 빛나는 분홍색

가스레인지에 불을 켠 후 몇 분 뒤
달궈진 불판에 돼지고기를 올리면
돼지고기는 경쾌한 노래를 부른다.
치익— 치익—
다 구워지면 군침이 도는
갈색 돼지고기가 된다.

한입 먹어보면 입에서 수영장이 개장된다.
돼지고기의 친구인 쌈장과 상추를 불러
서로서로를 꼬옥 안아준다.

친구

박은별

함께 있으면 행복하고
나를 도와준다
없으면 심심한
나의 친구

내 친구는 착하고 다정하다
믿을 수 있는 그런 사람이다
평생을 함께하고 싶은 친구이다

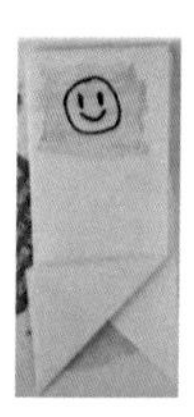

지하철

박지유

하루에도 수십만명의 사람들이 드나드는 이곳은
누군가에겐 없어서는 안 될 필수품일 수도 있고,
누군가에겐 기피하고 싶은 아픔이 잠들어있는 곳…

누군가는 그리운 다른 누군가를 만나러 가는
기대와 행복이 녹아든 가벼운 발걸음으로 이곳을 밟고,
또 다른 누군가는 그들의 아픈 추억이 잠든 이곳을
하루하루 무거운 발걸음으로 이곳을 밟아야 한다.

우리에겐 아무렇지 않은,
그저 교통수단에 불과한 이것이
누군가에게는 없어서는 안 될,
누군가에겐 잊어선 안 될 아픔이 잠든 곳.

우린 이것을 어떤 마음으로 밟고 있을까.

초코칩 쿠키의 친구들

이류경

점박이를 만들었어요
이 아이는 참 힘들어요
친구들과 잘 떨어지기도 하고
꾸욱 눌러도 떨어져요

떨어진 아이는 쓰레기통으로 가요
어쩔 수 없는 운명이었던 거죠
완성된 점박이는 친구들이 많네요
슬프지 않게 영원히 떨어지지 않으면 좋겠네요!

크로켓

이시후

것보기엔 단순하다
그저 원반 모양 튀김
하지만 방심마라
이녀석은 겉과 속이 다른 놈이다

바사삭
한입 먹으면

것보기엔 단순했을 것이다
그저 원반 모양 튀김
잊지마라
이녀석은 겉과 속이 다르다 했다

단풍나무

이채은

단풍나무는 친구가 많은 것 같아
여름이 되면 여름의 초록색에 물들고
가을이 되면 친구들이 많은지
노랑, 빨강, 초록 다양하네

나도 친구들과 놀면서
점점 물들어 가는 것 같아

핑계

정다운

일상적인 투덜거림 불만
세상에 대한 불만
핑계. 일이 잘 풀리지 않을 때
내 탓이 아닌 상황 탓, 사람 탓
항상 어떤 핑계를 댄다

참 어떤 상황이더라도
열심히 하는 사람은 많고
성공한 사람도 많다
만약 상황이 좋고
일이 풀리지 않았더라면
또 다른 핑계나 대겠지
또 다른 불만이 있겠지
그러니
힘들더라도 핑계를 대지 않고
더 나은 날을 위해서
열심히 살면 되겠지

집

채창훈

아무리 좋은 호텔을 가도
아무리 좋은 쉴 곳을 찾아도
세상에서 가장 편하고 가장 느긋하게
쉴 수 있는 곳은 우리 가까운 곳에 있다
쉴려고 여행 다녀와도 집에만 오면
어휴 드디어 집에 오네
일하고 와도
어휴 드디어 집에 오네

쉴 곳을 멀리서 찾을 필요가 없었다
집이 있으니까

앞머리

천소희

찔끔찔끔 위에서 찔려오는 앞머리
위에서 찔려오는 앞머리 때문에
따끔따끔 눈이 아프다

지금이 때인가 보다
내 앞에는 거울을 두고, 아래에는 종이
비장하게 가위를 꺼내고
이번에는 절대 망하지 않으리라…
매서운 눈으로 가위를 들고 싹둑싹둑
자로 잰듯한 앞머리를 위해 여기 자르고 저기 자르고

드디어…! 하고 보면
앞머리는 어느새 내 눈썹위에…
그렇게 다짐했는데
내 앞머리는 내 맘을 잘 몰라준다ㅠ

강아지

최서우

우리집 강아지는 장난꾸러기
귀여우면서도 미운 우리집 강아지
나갔다 들어오면 반갑다고 꼬리를 흔들어 주는
우리집 장난꾸러기 대장

산책 나가면 기분이 좋아 뛰어다닌다
나도 덩달아 신나서 같이 뛰어다닌다
열심히 뛰어다니면 나도 모르게
지쳐서 천천히 걷는다
하지만
지치지 않는 우리집 강아지

라면

임주은

돈 없을 때 밥 대신에

편의점에서
시간 때울 때

햇반이랑 대충
말아서

하교 후에 분식집에
친구들이랑

솜사탕

이채은

몽실몽실 솜사탕
폭신한 솜사탕 한 입 먹어보니
입에서 녹는

달콤한 솜사탕 먹으니
하늘에 떠 있는 구름이 생각난다

솜사탕 손으로 집어보니 따듯한 내 손에
구름이 비가 되어 내리는 것처럼 녹아
내 손에 붙는다

폭신한 솜사탕 뜯어 산타할아버지 수염 만들면
솜사탕은 나에게 선물이 된다

바람이 세게 불면 솜사탕은 흩어져
구름이 되어 날아간다

음식의 슬픔

진세환

음식들에게 우린 악마다
자신들을 먹기 위하여
물고문 시키고
자르고 썰고
불로 지지고
끓는 물에 집어넣고
자신들의 동족을 모두 먹어버린다

언젠간
우리에게 복수할지도 모른다

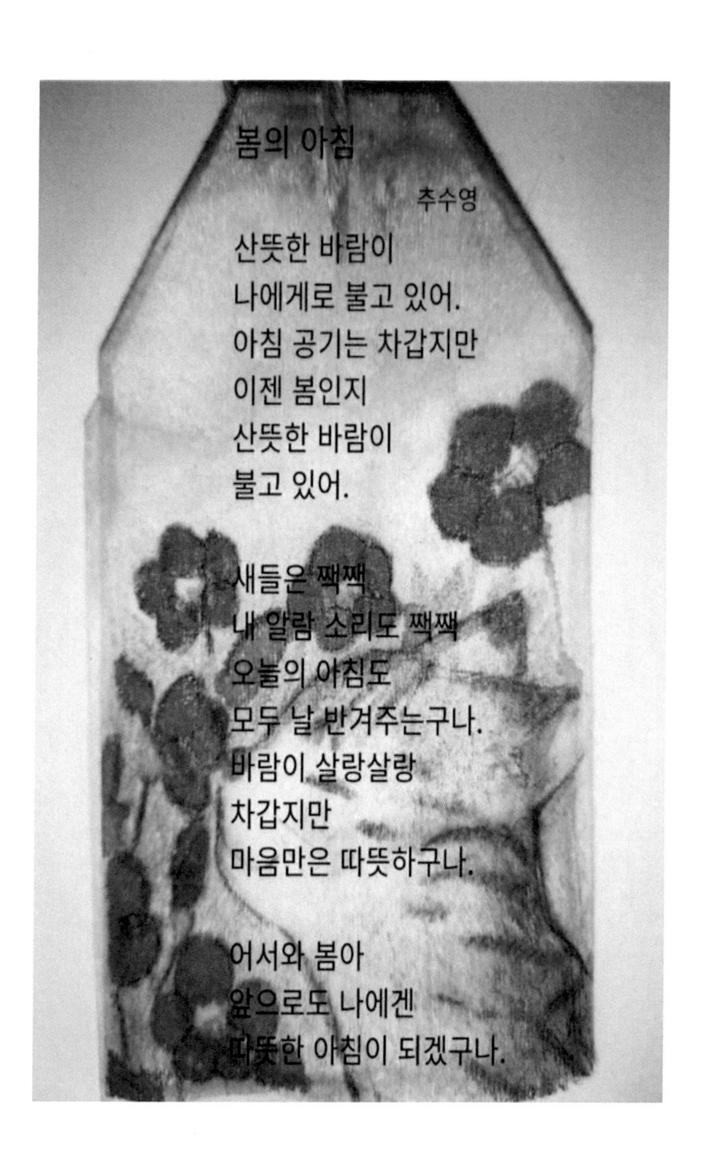
봄의 아침
추수영
산뜻한 바람이
나에게로 불고 있어.
아침 공기는 차갑지만
이젠 봄인지
산뜻한 바람이
불고 있어.
새들은 짹짹
내 알람 소리도 짹짹
오늘의 아침도
모두 날 반겨주는구나.
바람이 살랑살랑
차갑지만
마음만은 따뜻하구나.
어서와 봄아
앞으로도 나에겐
따뜻한 아침이 되겠구나.

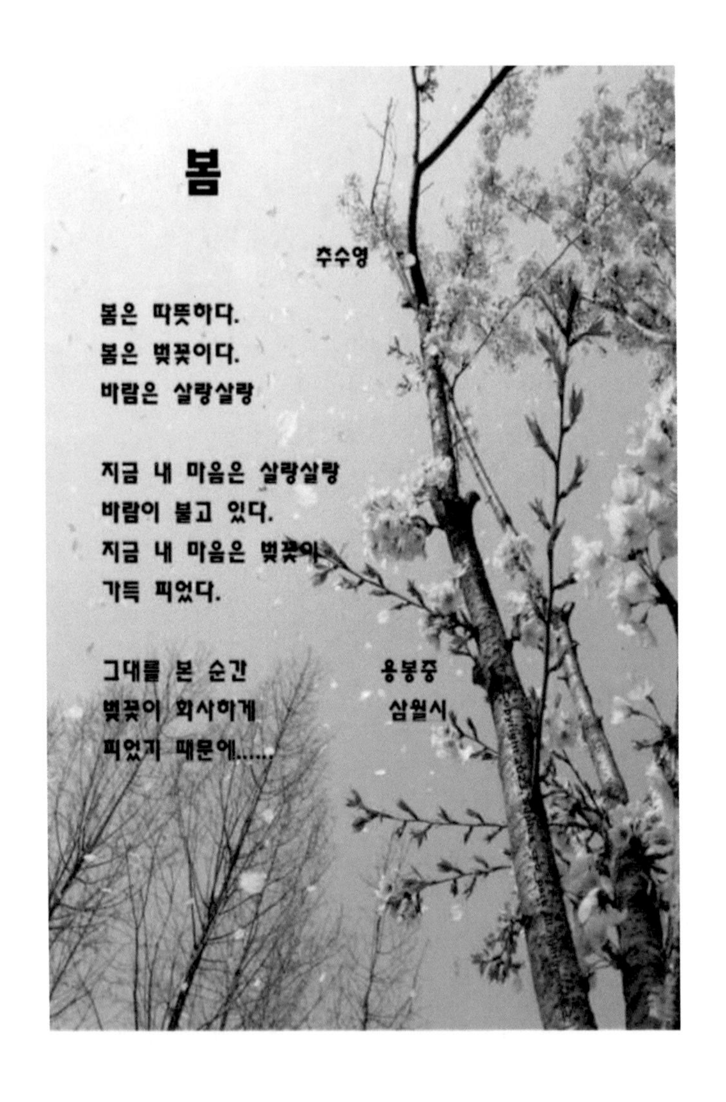
봄
추수영
봄은 따뜻하다.
봄은 벚꽃이다.
바람은 살랑살랑
지금 내 마음은 살랑살랑
바람이 불고 있다.
지금 내 마음은 벚꽃이
가득 피었다.
그대를 본 순간
벚꽃이 화사하게
피었기 때문에......
용봉중
삼월시

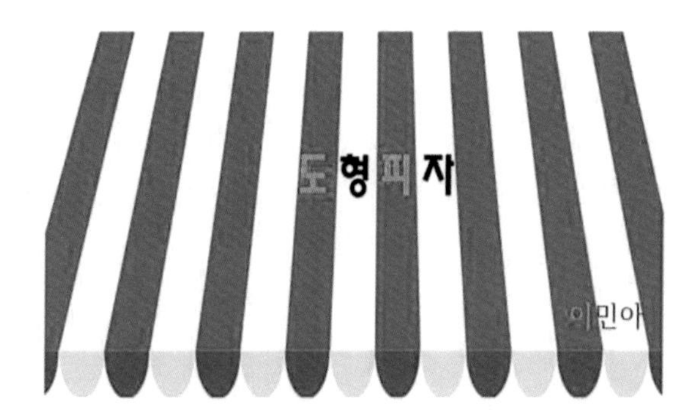

사각형 박스를 열어보니
동그란 피자가 보인다.

삼각형 모양인
피자 한 조각을 먹다보니

원기둥 모양인
피자 꼬다리만 남았다.

그것마저 먹다보니
사각형 박스만 남게 되었다.

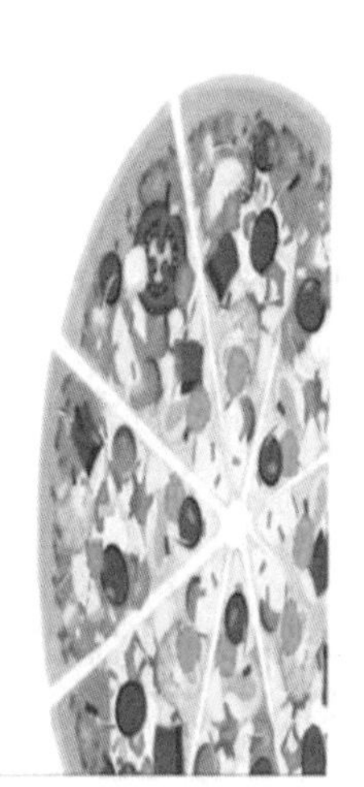

포옹

박항근

새가 알을 품어 병아리가 되고,
물고기가 알을 품어 치어가 되고,
엄마의 배속 포옹으로 내가 되고,

아!
포옹하면 생명이 절로 생기는구나.

전봇대를 안아
짜릿한 감정을 느껴보고,
고목나무를 한안아름 안아
초록 새싹을 틔어보고,
한안아름 너를 안아
평온한 교감과 따뜻한 두근거림의
소통을 나눠보자.

한안아름 껴안아 친구의 말을 알 수 있었고
나의 맘 속에 너의 생각을 담을 수 있었다.

불러세워
머리를 기대어 눈을 감고,
어깨에 눈물을 적실 수 있는

포용의 연결고리를 만들어보자.

우리는 따뜻한 연결이 그리워!
너와 나의 연결고리
포옹.

초하루 보름으로, 안아보면
어떤 변화가 오려나?

우리, 나 좀 안아줘.

한 입만

김도연

모락모락 김이 나는 라면
한 입 호로록 먹으면 계속 먹고 싶은
모락모락 김이 나는 라면
한 입만 한 입만 더 먹어보자
한 봉지 다 먹고 싶은
너무너무 맛있는 라면

스트레스

김시연

공부 때문에 짜증난다
친구 관계도 짜증난다

내 속을 달랠 수 있는 무언가를 찾아보니
책상에 놓여있는 초콜릿 하나가 덩그러니

초콜릿 한입을 베어무니
입에서 살살 녹는다

초콜릿 한입을 더 베어무니
내 스트레스도 점점 잦아든다

마지막 한 입으로 내 속을 풀어본다

데굴데굴

국상원

데굴 데굴 굴러가는 호박
항상 내 옆에 있던 아주 못생긴
호박과 함께 굴러간다

계속 구르다 보니 익숙하지 않은 냄새와
나와 똑같거나 비슷하게 생긴 호박들
잘린 호박 눈이 뚫린 호박
여러 호박들이 있었다

주변 호박들이 슬금슬금 눈치를 보며
뒤로 굴러간다
울면서 끌려가는 호박이
'안된다'며 소리친다

우연히 밖을 보게 되었는데
나도 눈치를 보는 호박이 되었다

김치 볶음밥

류현서

냉장고에서 빨간 김치를 꺼낸 뒤
칼로 작게 자른다.

작게 자른 김치를 가열한
팬에 넣고, 볶아준다

볶는 도중에 찬장에서
참치 캔을 까서 넣는다.

눈 밭 같은 흰쌀밥 위에
볶은 김치를 올리고 잘 비벼준다.

계란 프라이를 올리면 완성이다.

새벽

국상원

새벽에 휴대폰을 끄고 있으면
들리지도 않던 가전제품 돌아가는 소리
물방울 떨어지는 소리
여러 소리가 들린다
그런 소리들을 듣고 있다 보면
오늘 했던 일들이 주마등처럼 스쳐간다
다시 생각해보니
그때 그 말을 하지 않은 게 너무 억울하다
흑역사로 남을 쪽팔린 기억에 이불킥을 찬다

그러다 나 혼자 지쳐 잠에 든다

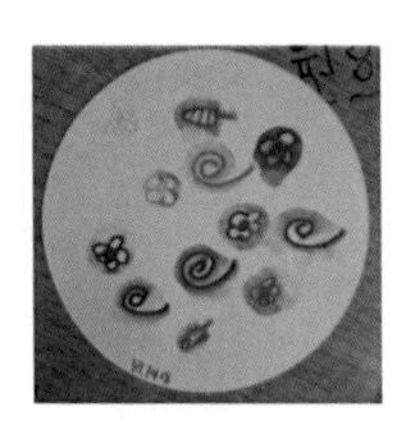

거울

류현서

거울
모든 것을 반사하는 거울

내 주위에 있는
모든 것들을 복사 하는 거울

나 자신도 옷장도 침대도
창문 밖에 날아다니는 새도
모든 것을 복사한다

어떤 행동을 해도 다 복사한다
어쩌면 거울 속에 내가 살고 있는
세계랑 똑같은 곳이 있는게 아닐까

어느 날의 휴식

이정원

바다는 참 넓고도 넓다
거대하고 깊은 심연을 들여다볼 때면
압도감에 휩싸이곤 한다.

바다는 참 넓고도 넓다
어떨 땐 우리를 품어주는 어머니가 되기도 하고
우리를 덮치는 재앙이 되기도 한다.

재앙이, 위협이 되기도 하는 바다이지만

우리에게 바다는
따스하고 포근한,
시원하고 청량한
어느 날의 휴식이다.

심연이며 두려움인 바다는
우리를 삼킬 정도이지만

우리가 그 앞에 설 수 있는 이유는
심연을 대신 마주해주는 존재가 있기 때문이다

우리는 그들 덕분에
따스하고 포근한,
시원하고 청량한
어느 날의 휴식을 취한다.

(해군호국문예제 금상 수상작)

마라

박시은

하지마라
그만해라
더 담지마라
먹을때 후회하니깐

하지마라
그만해라
맵부심 부리지마라
먹을 때 후회하니깐

하지마라
그만해라
마라탕 그만 먹어라
먹은 후에 후회하니깐

유혹

신하은

영화관에 들어가자마자 풍기는
고소한 냄새

그리고
타닥
타닥
타닥
팝콘 튀는 소리

영화만 보고 오려고 했지만
유혹이 되지 않을 수 없다

다양한 딸기

박해늘

딸기는 빨갛고 맛있다.
그리고 여러 가지 음식이 될 수도 있다.

딸기는 주스로 만들어서 마실 수도 있고,
케이크에 넣어서 먹을 수도 있다.

딸기를 그냥 먹을때
오독오독 씹히는 씨앗도 식감이 좋다.
딸기는 어떻게 먹어도 맛있고
모든 부분이 다 맛있다.

반찬

윤형우

따라랑
식당 문을 연다.
식당 안의 따스한 온기를 느끼며 자리에 앉는다.

"음...
신중히 결정하는 소리가 들린다.

"여기 제육볶음이요!"
"그려~"

잠시 뒤, 나이가 지긋한 할머니 다가온다.
"여기요~"

테이블 위에 생김치, 멸치볶음, 고사리, 마지막으로 김나는
제육볶음 올라온다.

"공기밥은 서비스여~"

이건 몰랐네
기분 좋아진 남자 숟가락 위에 밥을 얹는다.
그리고 젓가락을 든다.

남자가 젓가락을 들자 눈치 빠른 생김치 소리친다.
"나! 나를 먹어!"

그렇게 외친 생김치 먹음직스러운 빨간 몸 내세운다.
"..."

홀린듯 젓가락을 움직이는 찰나에,
멸치볶음 말한다.

"우리! 우릴 먹는게 좋을걸?!"
옹기종기 모여있는 멸치들에게 달콤한 냄새 풍겨온다.

팔랑귀 남자 이번에도 젓가락을 움직인다.
"안돼! 멈춰줘! 날 먹어!"

"..?"
울먹거리며 고사리가 남자에게 외친다.
"이것봐!"
고사리가 길쭉한 몸매 자랑하며 말했다.
그런데,

"미안하지만..후후..승리는 나에게 있단다."

남자가 눈을 흘기자, 넓직한 몸과 고기의 황홀스러운 향기,
아직도 뜨겁다는 걸 알리듯
김이 무럭무럭 나는 제육볶음이 있었다.

남자는 고민도 안하고 젓가락을 놀려 제육볶음을 낚아챘다.
그리고 밥과 겹친다.
그대로 입으로 직행.

남자는 천국을 맛보았다.

강아지

손우람

시골 할머니 집 가면 있는
늠름하고 큰 진돗개

이모와 같이 오는
작고 하얀 강아지

밖에서 키우는 진돗개와
집 안에서 키우는 작은 강아지

도시에서 사는 강아지와
시골에서 사는 강아지

모든 모습이 달라도
모두 사는 환경은 달라도
주인은 강아지를 사랑한다

강아지

이민아

시골에서 흔히 보이는
똥강아지 진돗개

할머니 댁에도 있는
똥강아지 우리 백구

길을 걷다 백구가 보여서
내가 다가가니 반갑다고
꼬리를 방방 흔든다.

내 가방에서 꺼낸 간식을
손에 쥐니 헤벌쭉 웃으며
달라고 조른다.

간식을 주고 나서
백구를 등지고 가던 길을 간다.

가던 중에 뒤를 돌아보니
간식을 다 먹은 백구가
날 보며 꼬리를 흔든다.

헤벌쭉 웃고 있는
백구를 보니
나도 저절로 기분이 좋아진다.

안녕 우리 백구
안녕 시골 똥강아지

울타리

박시은

울타리 안에
강아지 냐옹냐옹 고양이 멍멍
송아지 짹짹 참새 음매

울타리 안에
양 깡충깡충 토끼 메에
고라니 꿀꿀 돼지 아아악

울타리 안에
말 칵퉤 알파카 이히힝
사자 어흥 어흥

강아지

윤형우

주룩 주룩 비내리는 어느 시골집
한 할머니가 가만히 앉아 TV를 보고 있다.

멍멍 멍멍
"응?"

밖을 나와 보니 트럭 밑에
쫄딱 젖은 똥개 한 마리 짖고 있다.

멍멍 멍멍
할머니를 보니 더욱더 짖어대는 똥개 한 마리.

눈치 빠른 할머니 소세지 던져준다.
나냔먐냠냐나냐냐난먐먀먀

맛나게도 처먹는 똥개 한 마리.
뒤돌아 집으로 가는 할머니

몇 분 후.

멍멍 멍멍

다시 밖으로 나와보는 할머니.
다시 짖어대는 똥개.

할머니가 다시 소세지를 던져준다.

냐먀맘냐 먐먀먄먄마

"고놈 참 복스럽게도 먹는구나..."

또 다시 몇 분후.

멍멍 멍멍
똥개 한 마리 짖어댄다.

"미안혀..이제 없어..."

할머니의 말을 알아 먹었는지
시무룩한 표정을 하는 똥개 한 마리.
힘없이 축 느려진 채 떠나려는데,

"그래도"
"너가 있을 집은 있어.."

방금전 나라 잃은 표정과 반대로
환한 미소로 기대하는 표정을 보니.
한국말 잘 아는 똥개, 이번에도 알아 들었나보다.

"이리온."
이산가족처럼 서로를 껴안는 둘.

"이놈아 나도 젖어.."
그런 말과 다르게 더 꽉 안는 할머니.

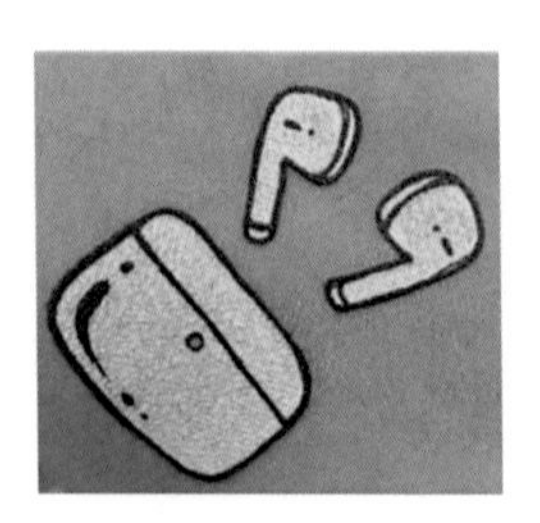

전쟁터

신하은

난 오늘 전쟁터에 간다

무기는 가방 책 컴싸, 내 머리
전쟁명은 중간고사

친구들이 다 전쟁 준비를 하고 있었다
무섭고 떨렸다
띠리리링

전투 개시!
모두 고개를 박고 문제를 풀어라!

드디어
노란색 종이에 꽉 채워진 총알
하얗게 불태웠다

귀차니즘

임시은

밥을 먹으려는데
밥솥에 밥이 없다.

밥을 하기 귀찮은 나는
찬장에서 라면 봉지를 꺼내고
냄비에 불을 올린다.

스프와 면을 넣고 기다리는 동안
나는 생각한다.

라면에 계란을 넣을까?
아니면 치즈를 넣을까?
만두도 있는데

나는 고르다가 귀찮아서
결국 모두 다 때려 넣었다.

아. 배불러.
근데 설거지하기 귀찮아.

고무줄

조혜슬

젤리는 작다.
그래서 먹을 때마다 항상 아쉽다.

하지만 작고 말랑한 젤리를
손으로 늘리면 길게 늘어나는
고무줄처럼 길게 늘어난다.

그렇게 길게 늘리다 보면 젤리가
늘어나서 커진다.

이렇게 해서 먹으면
양이 늘어난 것 처럼 보여서
먹으면

이불처럼 포만감을 느낀다.

집에서 만든 김밥

천소현

엄마가 김밥을 싼다.
장갑소리 부시락 나고
참기름 냄새 고소하게 풍기면
침이 나서 괜히 엄마 옆을 맴돈다.

쟁반에 나란히 선 김밥
먹다보니 이건 햄이 없고
저건 계란이 없고
또 다른 건 옆구리가 터졌다.

어딘가 서투른 김밥이지만
엄마손에 닿으면
쌀밥과 밥만 있어도 맛있어진다.

엄마 사랑해요.

맛있다~

이초원

집에 먹을게 없네...
마침 냉장고에 있는 계란, 방에 있는 김

후라이팬에 기름 두르고 계란 후라이 만들기!
밥솥에서 밥 푸고
김을 김 봉지에서 빼서
밥에 싼 후에 먹고, 계란까지 더해주면...

헐... 너무 맛있다.
별거 아니지만 행복하다~

역시 계란과 김이 짱이지

우리 아빠는 마법사

전유림

우리 아빠는 마법사다
입에 대지도 않던 스파게티,
이젠 좋아하게 되었으니 말이다

처음에는 아빠의 마법도 통하지 않았다
가족들이 두, 세그릇 비워내는 동안
나는 한 그릇도 버거웠다
아빠와 나는 큰 고민에 빠졌다

아빠는 결심한 듯
새로운 마법을 시도했다
내가 좋아하는 재료를 가득담아
나에게 건네주었다

조심스럽게 맛보고
나는 아빠의 마법에 걸렸다
우리 아빠는 마법사다

추운 3월의 9시

장희연

붕어빵이 철판 위를 헤엄친다
밀가루 반죽에 몸을 뒤집으며
이리저리 헤엄친다

붕어빵이 철판 위를 헤엄친다
슈크림과 팥을 머금으며
이리저리 몸을 뒤집는다

그러다 종이 그물에 잡혀
내 손으로 잡힌다

내 손에 붕어빵을 잡고
내 맘이 붕어빵에 사로 잡힌다

울타리

임시은

울타리를 넘어가자
하나 둘 하나 둘

뛰어 넘어가자
하나 둘 하나 둘

양이 넘어간다
한 마리 두 마리

말도 넘어간다
이랴 이랴

사람은 넘어가지 않았다

왜냐면 울타리 너머로는
절벽이 있기 때문이다

강아지

추승빈

강아지는 동물이다.
사람도 동물이다.

동물이라는 것은 같은데
생김새나 형태가 아예 다르다.

내가 보는 사람은 저마다 생김새가 다른데,
내가 보는 강아지는 종마다 생김새가 똑같은 것 같다.

강아지도 우리를 보면 똑같이 느낄까?
강아지야 너도 그렇니?

폭포

양 지 후

더운 여름 날
지나가며 폭포를 보았다

너무 시원해 보였다
물에 들어가고 싶었다

가서 물에 손을 넣었다
마치 얼음 물처럼 시원했다

다음엔 꼭 들어가고 싶다

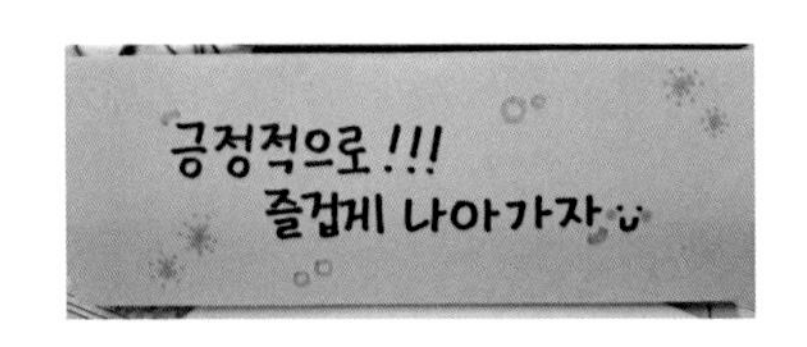

폭포

최순우

폭포는 매일 떨어진다.
봄 여름 가을 겨울
가리지 않고 매일같이 떨어진다.

폭포는 계절에 따라
각각 다르게 떨어진다.

봄에는 깔끔하게 떨어지고
여름에는 따뜻하게 떨어지고
가을에는 낙엽과 같이 떨어지고
겨울엔 딱딱하게 떨어진다.

폭포는 어떨 때는 위험해 질 수도 있고
어떨 때는 기분을 좋게 해 줄 수도 있다.

춤

천소현

수업 시간
5분도 안 지나면
나 혼자 이리저리 춤을 춘다

고개를 까딱까딱
몸이 흔들흔들

툭 하고 고개를 떨구면
반 아이들과 눈이 마주친다.

아차차,, 정신 차려야지

감귤 모자

전유림

제주도 여행을 가서
엄마를 쪼르고 졸라 산 감귤 모자

엄마는 집에 가져가면
쓸데없다며 사지 말라고 했지만
콩깍지가 씌인 나에게는
그 어떤 말도 들리지 않았다

결국 엄마는 사주셨고
나는 만족을 했다
여행을 하며 계속 쓰고 다녔고
여행을 마치고 집에 왔다

감귤 모자는 곧바로 잊혀져 갔고
지금도 어디 있는지 알 수가 없다

비밀번호

김소명

네가 기억이 안 난다
세상에서 사라져버린 것 같다

메모장에도 없고
저장도 안 되어 있다
어디에서도 찾을 수가 없다

네가 너무 보고 싶다

주말

김채혁

나에게 주말이란 황금 같은 시간이다.
주말에도 가끔식 8시에 눈이 떠지며
난 웃으며 다시 잔다.

시간은 오후 2시 30분 친구들이 부른다.
이제 일어나서 조금 늦을 것 같다고 하며
조금 더 잔다. 친구들이 전화를 한다.
거의 다 준비 됐다고 하며 씻을 준비를 한다.

이렇게 여유로워도 아무도 뭐라 하지 않고
지각이란 것이 없는 날
주말, 나에게 주말이란 황금 같은 시간이다.

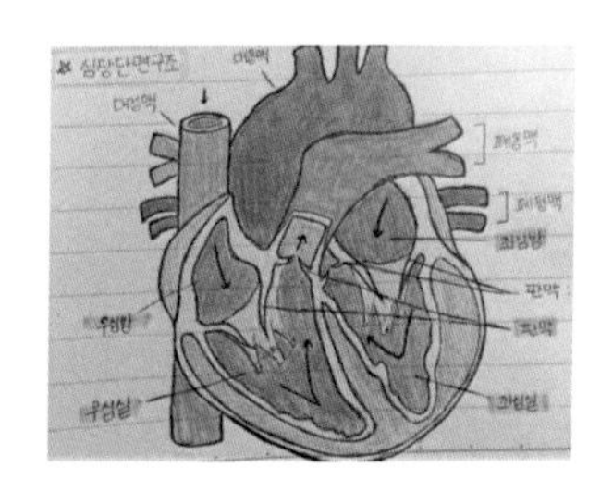

인생

김승준

우리는 힘들게 살고 있다.
우리는 똑같은 인생을 살고 있다.

학교가 끝나고
학원을 가고
집에 오고
많은 숙제를 하고

매일 같은 하루
한 번쯤은
인생을 바꾸고 싶다는 생각을 한다.

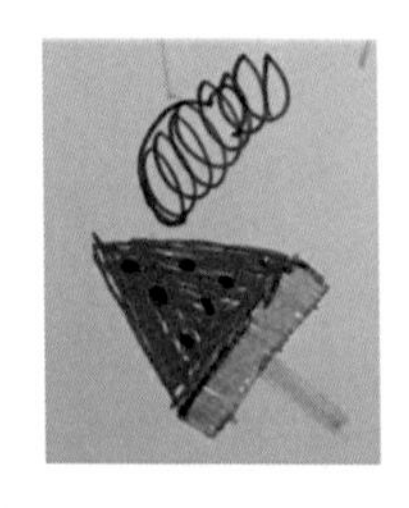

눈물

남연지

눈물이란 무엇인가?
눈물은 슬프거나 매우 기쁠 때
흘러나오는 것

하지만 우리는
눈물을 뒤에서 훔치지

눈물을 흘리면 뭐 어때
내가 슬프고 기뻐서 흐르는데
숨기지 말고 흘려봐

누가 뭐라고 하든
그 사람이 잘못된 거야
우린 눈물을 흘릴 자격이 있어
마음껏 나를 표현해봐

잠

김시윤

잠을 자면 꿈을 꾼다.
그때는 그런 기분이 든다.
마치 다른 세계에 있는 기분.

그럼 잘 자요.

근심 걱정 모두 잊어버리고.
잠시만 편히 쉬어요.

눈을 감으면 또 다른 세계로,
편히 누워요, 편히 쉬어요.

그럼 잘 자요.

치킨

김민준

내 인생 열다섯
인생의 즐거움을 찾았다
그건 바로
게임? 아니지
공부? 당연 아니지
바로 치킨이야

바삭바삭 후라이드
매콤달콤 양념
단짠의 정석 뿌링클

이렇게 여러 치킨들이 있지만
나는 당연히 뿌링클

일주일에 한 번이라도 먹지 않으면
도파민에 중독된 것 마냥 금단현상이 온다

너도나도 좋아하는 치킨
먹으면 누구나 웃음꽃이 활짝

점수와 경쟁

김경민

어느날 학교를 가는 길
나는 생각 해보았다.
학교는 왜 점수와 경쟁일까?
선생님들은 점수가 높은 학생과
공부 잘하는 학생을 상당히 좋게 평가한다.
반대로 점수 낮고 공부 못하는 학생은 답답해 한다.
왜 우린 사회의 좋은 평가와 대우를 받기 위해
경쟁을 하는가?
그 사람에 대한 것은 학력과 지능으로만
사람을 판단하는 걸까?
그 사람에 대해 알아보지 않고
오직 능력이 좋다는 이유로만 그 사람을 좋게 평가할까?
능력이 안 좋아도 인정해 주는 것도
나쁘지는 않을 것 같다.

씨름

김채혁

씨름, 씨름이란 무엇일까?
한반도에서 전해온 일종의 그래플링 스포츠이다.
하지만 세계적으로 유명하지는 않다.

현란한 기술과 몸놀림으로 큰 덩치를 넘어뜨리는
화려한 씨름이 점점 쇠퇴하고, 덩치로 승부하는
덩치가 큰 사람들의 게임이 씨름의 주류가 되면서
재미가 없어졌다는 게 거론된다.
일본 스모의 몰락과 비슷한 현상이다.

하지만 시대가 지난 지금,
요즘은 몸무게가 낮은 사람들이 더 많은 추세이다.
대회장도 가보고 메달도 따보고 운동도 해보며
느낀 거지만, 몸무게가 낮은 사람들이 훨씬 많으며,
몸무게가 높은 사람들은
대회에서밖에 볼 수가 없을 만큼 흔하지 않다.

옛날 옛날 강호동, 이만기가 활개치던 시절은
관중석이 모자랄 정도로 관중들이 많았다.
하지만 요즘은 학부모들 말고는 관중이 없다.
씨름이 이렇게 인기 없는 이유는
빅맨들밖에 없던 시절에서 조금 지난 뒤,
이만기가 씨름의 인기를 살려 보겠다고
고군분투할 때 씨름연맹은
이만기가 시끄럽다며 영구 제명.
이렇게 씨름의 인기는 점점 인기가 떨어졌다.

씨름. 한땐 팬도 많고 인기도 많았지만
몰락해버린 민속 스포츠.
씨름은 자연스레 사람들의 품에서 잊혀지며 사라져갔다.
하지만 우린 포기하지 않고
다시 한 번 모래판에 올라가 본다.
씨름. 씨름이란 무엇일까?

책

김시윤

책은 읽어진다.
책은 펼쳐진다.
책은 나에게 말을 건다.

나는 책을 읽는다.
나는 책을 펼친다.
나는 책의 말을 듣는다.

책은 나와 대화한다.
나도 책과 대화한다.
우린 서로 대화한다.

읽는 것은 대화이다.
읽는 것은 이야기다.
읽는 것은 인생이다.

우린 삶을 읽는다.
책은 삶을 말한다.
독서는 대화하는 것이다.

울타리

김소명

울타리 너머에는
뭐가 있을까
누가 있을까

나는
울타리 안에 있을까 밖에 있을까

폭포

남연지

나는 빛나는 폭포다
난 점점 사라져 가고 있다

위에서 아래로 떨어지던 물
물이 떨어져 빛나는 물방울

하지만 난 사라진다
물이 말라가고
땅도 말라간다

지구 온난화가 나를 괴롭힌다
그렇게 나는 빛나던 폭포였다

강아지

김채혁

강아지는 신이나 있다,
나도 신나곤 한다.

강아지가 하늘을 본다,
나도 같이 보곤 한다.

강아지가 자고 있다,
나도 잠이 솔솔 오곤 한다.

나는 강아지를 키우고 있지만
강아지에게 위로 받는다.

강아지란 귀찮을 땐 있어도
힘들 땐 언제나 내편인 동물.

모두가 나를 믿지 않아도
나를 믿어주는 동물.

''강아지''

매화

김채혁

바람이 솔솔 불고
날씨도 많이 화창하다.

살랑거리는 분홍꽃을
봐보니 참 예쁘다.

저 꽃은 벚꽃인가? 벌써 봄이왔구나.
하며 혼잣말을 할 때 즈음
이름표 하나가 보였다.

’ 매화 ‘
이름표에는 매화라고 적혀있다
매화는 벚꽃과 닮았지만 개화 시기도 다르고
완전히 피면 색도 다른 개성있는 꽃이다.

이번 년도의 봄은 참 아름답다. 생각하며
가던 길을 간다.

딸기

김소명

싱싱한
초록색 머리에

조그만
노란색 주근깨

상큼한
빨간색 옷을 입고

시원한 물로
샤워하면

접시 타고 놀러갈
준비 끝

붕대

박현주

겉은 평범한척하느라 온갖 거짓을 말하며
안은 천천히 곪아 역겨운 냄새가 날 정도로 썩어간다

붕대가 풀어질까봐 썩은 냄새가 날까봐
언젠가 인간에게 역겨운 자신을 들킬까봐
불안에 떨며 붕대를 더 감게 되고

거짓으로 꾸며낸 자신의 실증과 인간에 대한 불신을
느끼면서도 또 거짓말을 하며 자기 자신을
갉아먹으며 지옥 같은 세상에
더 살아가야 할 의미가 있는지 생각하면서

위선으로 둘러싼 일상 속 모두를 속이지만

붕대를 벗겨내고 역겨울 자신을 이해해줄 친구를
기다리며 오늘도 거짓된 붕대를 감는다.

어려운 것

윤혜원

세상엔 어려운 것들이 많이 있다.
단어 외우기, 수학 문제 풀기, 돈 아끼기, 집중하기,
청소하기, 계획 세우기, 일찍 자기, 일찍 일어나기,
등 어려운 것들이 세상에 많이 있다.
하지만 저것들은 다 어려운 게 아니다.
익숙하지 않을 뿐!

단어를 덜 외워봐서 어려운 거고
수학 문제를 덜 풀어봐서 어려운 거고
돈을 덜 아껴봐서 어려운 거고
집중을 덜 해봐서 어려운 거고
청소를 덜 해봐서 어려운 거고
계획을 덜 세워봐서 어려운 거고
일찍 자는 걸 덜 해봐서 어려운 거고
일찍 일어나는 걸 덜 해봐서 어려운 거다.

어려운 것들은 계속 많이 생겨나지만
익숙해지면 잘 할 것이다.

울타리

이아연

너의 안락함에 취해
나는 점점 더 너의 온기에 취해갔다

다가오면 더 멀어지는 너란걸 알면서도
나는 너와 같은 온기를 탐하면 안된다는 걸 알면서도

나는 네가 너무 절실해서
나는 결국 그 울타리를 넘었다

너의 온기를 잠시 훔쳐왔지만
그 온기를 함께 했던 시간만이라도

따뜻했었다

하얀 지우개

이지수

하얀 지우개는 연필의 흔적을 지운다
하루하루가 가는지도 모르고
자신의 일을 하다가 보니
어느새 그 지우개는 깜깜하게 변했다
그 새하얀 지우개는 그렇게
깜깜한 검은 지우개가 되었다

자신을 돌아본 지우개는 자신에 몸도
반쪽이 되었고 그러다가 오랫동안 필통 안에서
하루하루를 보낸 지우개는
새롭게 온 하얀 지우개를 보았고
까만 지우개는 새로운 하얀 지우개를 보면서
"나도 저럴 때가 있었지 " 라고 깊게 생각했다

강아지

박지민

강아지는
귀엽다.

이유가 다양하지만
가장 큰 이유는

귀엽게 태어난 것이기 때문이다.

그 작고 소중한 생명체를
생각한 순간

내 입꼬리는 이미
우주에 발사된 후다.

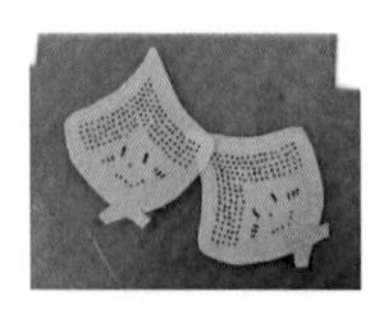

폭포

이민주

너에 대한 내 마음은 폭포이다
멈출 수 없이 계속 흘러 넘치기 때문이다

날이 갈수록 내 마음은 폭포처럼 매일 깎인다
너는 나를 좋아하지 않는 걸 알기에

내 마음은 아름답지만 가까이 보면 위험하다
너의 뒤에서 너를 매일 지켜볼 수 있기를

후추

이아연

네가 있으면
내 마음이 간질간질

네가 가까워질수록
나는 더 간지러움을 탄다

그렇게 네가 내 코앞으로 왔을 때
"에취!"

네가 나에게 한 번 더 와줄까 봐
다시 내 마음이 간질간질

너는 알까?
네가 내 마음을 자꾸 간지럽힌다는 걸

밭

임선우

매일매일 갈아줘야 하는 밭,
매일매일 거름을 줘야하는 밭,

매일매일 관심을 줘야하는 밭,
매일매일 노력을 줘야하는 밭,

매일매일 기다려야 하는 밭,

밭은 그제서야 고개를 든다.

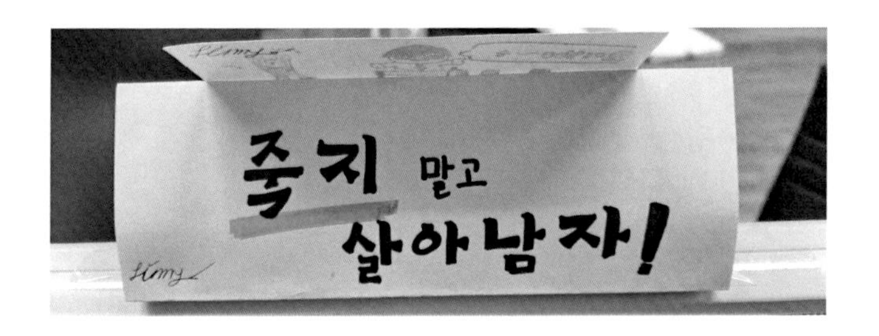

발걸음이 향하는 세상으로

정지민

힘든 하루의 끝을 맞이하며
집으로 들어가는 발걸음
하지만 그 발걸음의 끝은 다른 곳으로,
또 다른 너와 나의 세상을 맞이하는 준비.
그렇다면 이제

모두가 집에 잠들어 있는 시간에
나와 너만이 마주 보고 서 있는 거리에서
그 누구의 눈치 보지 말고 세상을 걷자.

왜 비 오는 날 남겨진
구멍 생긴 우산처럼 서 있는 거야?
아무리 구멍이 생겨도 존재 자체로는 우산인걸
그 구멍은 우산의 전체가 되는게 아니야
그러니 이제는

모두가 바쁘게 움직이는 시간에
나와 너만이 천천히 움직이는 거리에서
남들 속도 맞추지 말고 세상을 걷자.

빛을 내지 못하는 너에게
반짝이는 희망을
웃지 못하는 너에게
웃음 짓는 행복을
선물해 주고파.

해가 보이지 않은 시간에도,

햇빛이 모두를 비출 시간까지도
혼자 있을 너에게 다가가 곁에 있고파.
그러니 이제는

모두가 잠들 길고 짧았던 시간에
나와 너만이 가로등 아래 있는 거리에서
서로에게 빛을 비추며 세상을 걷자.
서로의 눈을 마주 보며 세상을 걷자.
발걸음이 향하는 곳으로 세상을 걷자.

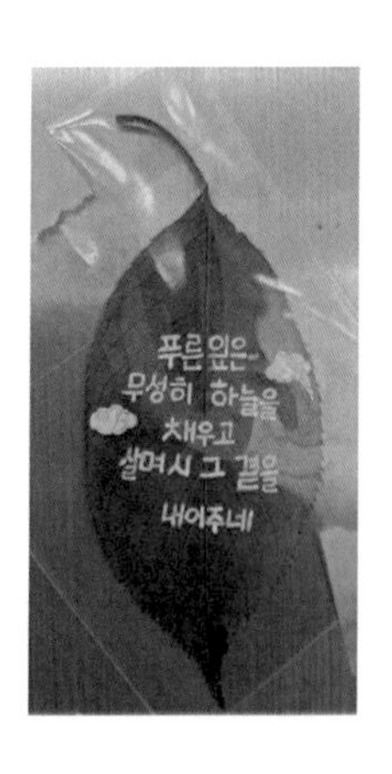

이제는 알아

정지민

네가 매일 나에게 왔었던 이유
이제야 깨달았어.
사실은 이제야 깨달아서
조금 후회하고는 있어

네가 나에게 흐르듯이 건넸던 인사
그저 당연하다고 생각했던 한마디

과거에 나를 되돌릴 수만 있다면
너와 처음 만났던
그때, 그 장소로 갈 거야
안된다는 사실 알고 있어.

미래에 다시 널 만날 수 있다면
그때는 말할 거야.
다시는 후회하지 않도록
다시 만날 약속하자.

지금은 나에게 눈길 안주는 너지만
사실 네가 보는 시선
그 끝에 내가 닿았으면 해.
욕심 많다는 걸 알고 있어.

많은 걸 바라지 않아.
평소처럼 나에게 다가와 인사해 줘.
이제는 나도 네게 인사할게.
안녕, 오랜만이야.

자유

정진영

시를 쓸 때면
늘 생각이 제한된다
친구들이랑 떠들 때는
대화 주제가 그렇게 잘 떠오르던데
시 주제는 왜 떠오르지 않을까.

아이러니하네?
제한이 없으니 오히려 제한당하는 것 같아.

그렇다
인생은 자유로울 때 가장 힘든 것이다
사회에 넘겨진 청년들이 백수가 되는 것이나
창작 시를 쓸 때나
자유가 주어지면 늘 괴롭기 마련.

주제가 없으니 막 쓸 수 있지만
그렇기에 글에 짜임새가 부족하다
글의 뼈대가 주제인데, 주제가 없으니까.
살가죽만 덕지덕지 붙인다고
인간이 되는 게 아니니까.

자유가 마냥 좋은 걸까?
자유는 모든 생각의 대방출이며,
생각이 없는 자의 지옥이다
자유는 나에게 대지옥.
탈출할 수 없는 굴레인 듯 하다

편식

최은영

아침에 고기가 나왔는데
야채가 들어있어
꾸역꾸역 야채를 피해 고기를 집었는데
풍덩 빠져버렸다

점심에 국수가 나왔는데
오이가 들어있어
꾸역꾸역 오이를 피해 면을 집었는데
그러다 싹둑 짤려버렸다

저녁엔 김밥이 나왔는데
우엉이 들어있어
꾸역꾸역 밥을 피해 우엉을 뺐는데
그러다 망가진 김밥이됐다

국밥이 왔어요.

정태현

순대국밥,
"오늘 밖에 나가서 먹을까?" 하면
바로 나오는 그 말, "순대국밥!"
난 국밥을 좋아한다. 국밥중에서도
순대국밥이 짱이다.

순대국밥에서 순대가 들어가지 않으면,
짜장소스 없는 짜장면이다.
그리고 또 콩나물이 들어가지 않으면,
해물없는 해물 짬뽕이다.

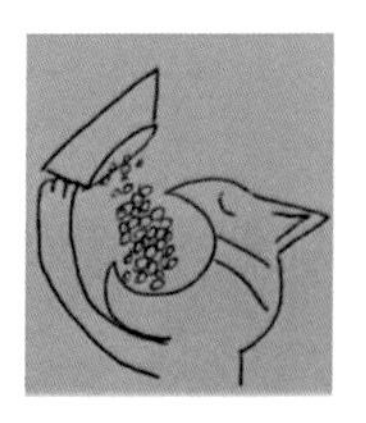

김치볶음밥

한시준

내가 좋아하는 김치볶음밥
김치 넣고 볶아볶아
햄 넣고 볶아볶아
밥 넣고 볶아볶아

마지막으로 계란 후라이 까지 올려서
노른자 톡 터트리면
애교스러운 노란색이 마중나와
어쩜 그리 고소한지

김치볶음밥에 슥슥 비벼 먹으면
둘이 먹다 한 명 죽어도 모를 맛이다
어제도 먹은 김치볶음밥
영원히 사랑한다

조화

정진영

오합지졸 사고뭉치에 시끄러운 아이들
어찌보면 나와 맞는것 하나 없는 친구들
이렇게 서로 다른 아이들이 조화를 이루니
다양한 분위기의 반이 만들어지는 것이다.
마치 섞을수록 맛있어지는
비빔밥처럼 말이다.

언뜻 보기엔 맞는것 하나 없는 재료들
그런 재료들이 조화를 이루니
다양한 맛의 비빔밥이 만들어지는 것이다.

자기주장 확실한 놈이
전체적인 맛을 이끌어나가는 것이며,

뒷받침을 해주는 다른 놈들이
부족한 맛을 받쳐주어

비로소 완성된 맛의
비빔밥이 되는 것이다.

달콤 짭짤
매콤 짭짤,

하하 깔깔
호호 깔깔,

우리는 조화로운 비빔반이다.

해가 없어진 줄 모르고
김혜미
정신없이 놀았더니
해가 감쪽같이 없어졌다
없어진줄 도 모르고 있었다
그래도 해가 사라지든말든
우리는 계속 신나게 논다
해가 없어진 줄 모르고
신나게 논다
수학여행
송지훈
신나는 수학여행 시작이다
하루종일 버스 타서 롯데월드 도착
롯데월드에서 친구들과 재미있게 놀고
버스에 또 타고 숙소 도착
참 힘든 하루였다
내일도 친구들과 재미있게 놀아야지

바다

노승민

바다를 보았다
넓은 바다를

바다를 보았다
푸른 바다를

바다를 보았다
나도 바다와 같아지고 싶다

롯데월드의 저녁

신소윤

첫 수학여행으로 부산에 갔는데
첫날은 거의 롯데월드에서
놀았다

낮에는 밝아서 안보이던
조명들이
저녁이 되어 어두어지니
밝게 빛을 냈다

낮에는 그냥 지나쳤던
조명들이
빛나면서 어두운 롯데월드를
밝게 빛냈다

바다

유현선

드넓은 바다가 마치 나의 마음과 같구나
초록색으로 뒤덮인 바다가 나를
덮치니 그것은 마치
상처에 바닷물을 부은것과 같이
쓰리며 아프구나

누군가에게는 이 드넓은 바다가
쓰릴수 있지만
누군가에게는 좋을지도 모른다
드넓은 바다가 마치 나의 마음과 같구나

수학여행

수학을 배우러 가는 여행인 줄 알았다

하지만 가서 재밌게 놀고만 왔다

또 가고 싶당 ~

회전목마
수학여행 저녁,
모두가 지친 이 시간에는
밝은 낮의 해가 지고
붉은 노을이 지고있다.
내 다리의 힘이 풀려
아무 이유 없이
회전 목마만 계 타는 가운
점점 어두워지는 이 하늘
나를 더 지치게 만드는것 같

사진보다 중요한 것

손준희

사진으로 내리 남기고 싶은
푸르른 바다와 하늘
사진 몇 장 못 찍어 아쉬워

그래도
내 머릿속 한 켠에 자리 잡았으니까

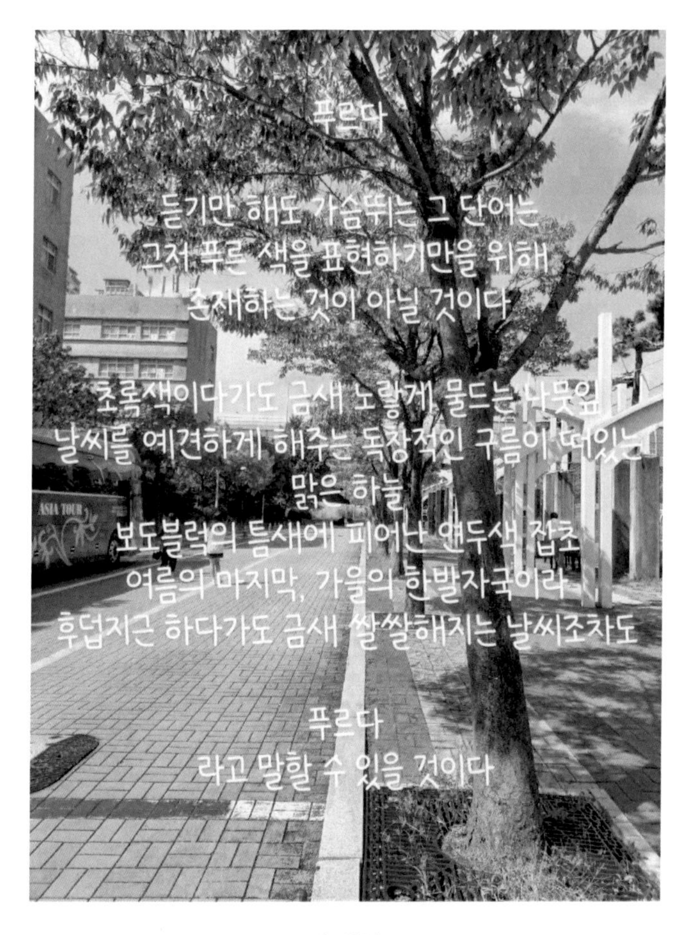

푸르다

듣기만 해도 가슴뛰는 그 단어는
그저 푸른 색을 표현하기만을 위해
존재하는 것이 아닐 것이다

초록색이다가도 금새 노랗게 물드는 나뭇잎
날씨를 예견하게 해주는 독창적인 구름이 떠있는
맑은 하늘
보도블럭의 틈새에 피어난 연두색 잡초
여름의 마지막, 가을의 한발자국이라
후덥지근 하다가도 금새 쌀쌀해지는 날씨조차도

푸르다
라고 말할 수 있을 것이다
ASIA TOUR

나해연

해파리
2503 김소명
어두운 물속을 떠다니는
해파리들은
어두운 하늘에 떠 있는
금색 별 같다
수조 속을 가득 채운
별들처럼
하늘도 가득 채울 만큼
별이 뜨면 좋겠다

김시윤

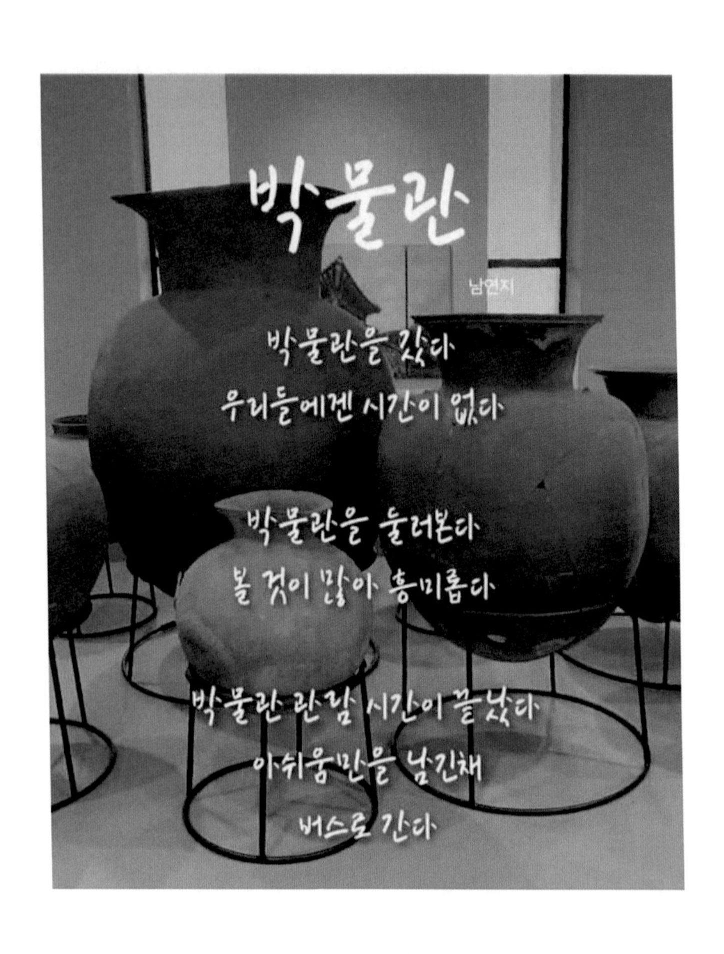
박물관
남연지
박물관을 갔다
우리들에겐 시간이 없다
박물관을 둘러본다
볼 것이 많아 흥미롭다
박물관 관람 시간이 끝났다
아쉬움만을 남긴채
버스로 간다

해파리

이지수

맑고 투명한 해파리
나에게 안정감을 준다
해파리는 본능적으로 헤엄친다
기관이 없으면서도 신경계가 있어
배고픔을 느낀다
그저 둥둥 떠다니는 해파리가
아름답다

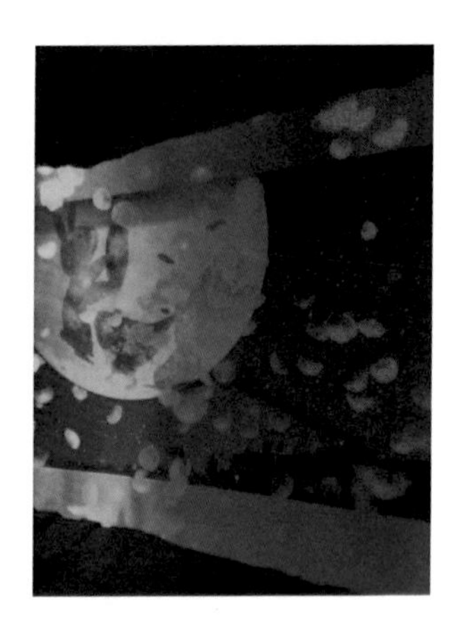

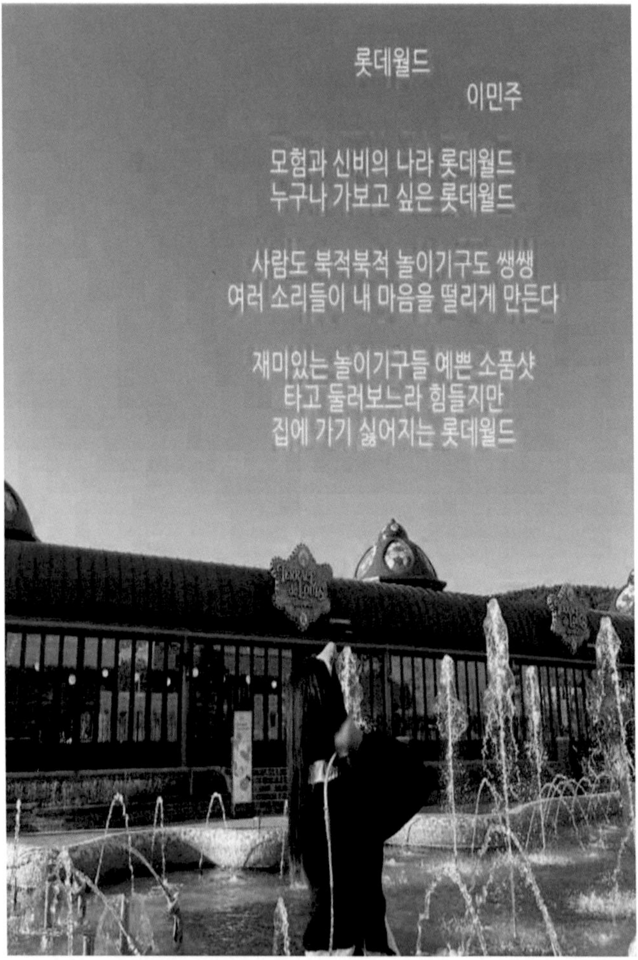
롯데월드
이민주
모험과 신비의 나라 롯데월드
누구나 가보고 싶은 롯데월드
사람도 북적북적 놀이기구도 쌩쌩
여러 소리들이 내 마음을 떨리게 만든다
재미있는 놀이기구들 예쁜 소품샵
타고 둘러보느라 힘들지만
집에 가기 싫어지는 롯데월드

가오리
박현주
가오리는 양면의 얼굴을 하고있다.
앞면은 화내지만 뒷면은 슬퍼한다.
하지만 우리는 알아야한다
가오리의 뒷면에 눈처럼 보이는 것은
사실 콧구멍이라는걸

물고기

이아연

예쁘다
파란색 물 안에 있는 물고기가

귀엽다
저 유리 너머에 있는 물고기가

불쌍하다?
이 물고기도 옛날에는 더 깊은 곳에서 살았겠지

불쌍하다
이 물고기는 이보다 더 넓은 곳에서 살 수 있었을 텐데

마치 공부라는 선택지뿐인 우리의 모습을 보는 것 같다

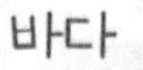

바다

살랑살랑 부는 바람
맑고 시원한 바닷물
바다와 함께 보이는 하늘
그 하늘에 떠있는 구름
더운 생각이 사라지고
시원함만 남았다

한효은

은행 똥과의 전쟁

임채윤

전방에 은행 열매
지뢰밭 조심해!!
이러다 다 죽는다
살금살금 피해서 걸어라
잠깐 스탑!!
새 신발을 호위한다
톰 통 톳 슛 슉슈 푸쉬 시슈 안돼~
새 신발님이 전사하셨습니다...

응급처치 빨리해!!
긴급 수술, 물티슈~
가망이 없습니다..

아니?! 포기는 일러

선생님 성공입니다. 하지만 냄새가..
탈취제 어서!!

넵~ 성공 입니다!!

좋아 마무리는 집가서 하도록 하지
다시 호위해!!

옛썰!

9월에

이영우

열기 가득 품었던 바람이
조금 시원해질 때

초록빛 반짝이던 나무들이
저마다 다른 색으로 물들어갈 때

나도 푸른 물결
모래에 닿아 부서지는
파도 끝에 서서
새로운 세상을 꿈꾸어본다

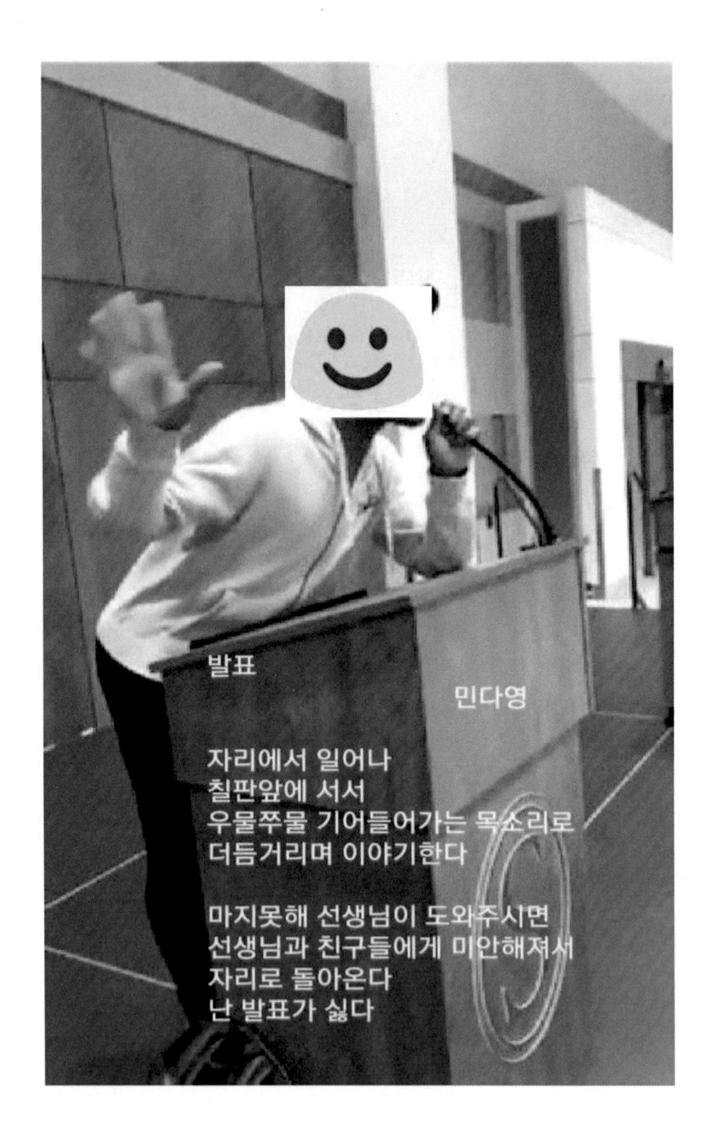

발표

민다영

자리에서 일어나
칠판앞에 서서
우물쭈물 기어들어가는 목소리로
더듬거리며 이야기한다

마지못해 선생님이 도와주시면
선생님과 친구들에게 미안해져서
자리로 돌아온다
난 발표가 싫다

꿈속에서 나와야 할 시간

이정원

바다에 떠다니는 해파리처럼
넘실넘실 유영하노라면
거북이가 다가와
해야할일이 있잖니
하고
일깨워준다

저 하늘의 구름처럼
몽실몽실 떠다니노라면
바람이 다가와
저 땅에 내려가
비가 될 때야
라고
날 밀어낸다

언제까지나
유영하고 떠다니면 안될까?
하고 물으면
그대는
이제 공부해야지
하며
나를 꿈속에서 꺼낸다

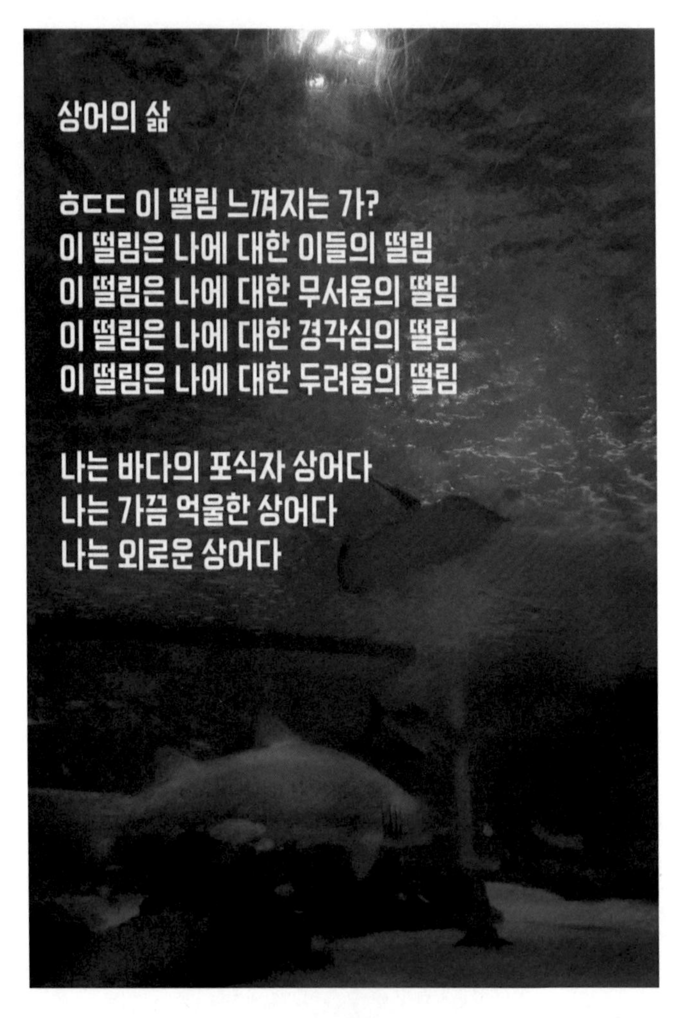
상어의 삶
ㅎㄷㄷ 이 떨림 느껴지는 가?
이 떨림은 나에 대한 이들의 떨림
이 떨림은 나에 대한 무서움의 떨림
이 떨림은 나에 대한 경각심의 떨림
이 떨림은 나에 대한 두려움의 떨림
나는 바다의 포식자 상어다
나는 가끔 억울한 상어다
나는 외로운 상어다

임채윤

거북이
박하연
거북이를 봤다
귀여웠다
가오리를 봤다
귀여웠다
펭귄을 봤다
귀여웠다
수달을 봤다
귀여웠다
불가사리 인형을 봤다
귀여워서 샀다

1학년 최수아

맺음말

시상 살이가 인생살이가 어차피 심든 시상~
가심에 멍 맹글지 말고 물 흐르댓기 바람 불 댓기 자연스럽게 살잔게. 냇가세 독은 첨엔 날카롭지만 세월이 흐르믄 그 놈의 물을 다 받아내고 똥글똥글 해져 불댓기 거슬리지 말고 다 흘러버리랑게.
가다가 맥혔스믄 지다리고 먼 질로 돌아갈라믄 찬찬히 돌아가믄 되제. 시상살이가 살아본께 안글덩가? 우스믄서 살아야제 인상쓰고 성낸다고 누가 알아주간디? 글고 빼곱시 성질내믄 털 뽑아븐 꿩새끼처럼 지만 춥제.
긍게 똥그런 독맹키 맴 쓰지 말고 살자 이말이여. 살다 보믄 나를 알아주는 사람도 있슬 것이고 또 몰라주믄 몰라준대로 중심 딱 잡고 살다보믄 존 시상도 올 것 잉게 잉~.
'항근 문학 공작소' 에서 우리 반딧불이들이 불 좀 키고 글 좀 썼는디, 어떨랑가 모르것네. 시상의 모든 분들에게 이 책을 바칠랑게. 함 읽어보드랑게요.
감사한 분들이 있당게요. 특히 물심양면으로 도와주신 이선화샘, 격려와 찬사를 아껴주신 김민정샘, 김선이샘, 김성민샘, 박지영샘, 박은희샘, 나상배샘, 양진석샘께 감사하며 이 책을 출판한당게요.

-따뜻한 어느날